Jean Ziska

George Sand

Jean Ziska

I.

Wenceslas de Luxembourg régnait en Bohême. La France avait vu ce monarque grossier lorsqu'il était venu conférer à Reims avec les princes du saintempire et les princes français pour l'exclusion de l'antipape Boniface. «Les moeurs bassement crapuleuses de Wenceslas choquèrent fort la cour de France, qui mettait au moins de l'élégance dans le libertinage: l'empereur était ivre dès le matin quand on allait le chercher pour les conférences.» A l'époque du concile de Constance et du supplice de Jean Huss, il y avait quinze ans que Wenceslas n'était plus empereur. Son frère Sigismond avait réussi à le faire déposer par les électeurs du saintempire, dans l'espérance de lui succéder; mais il fut déçu dans son ambition, et la diète choisit Rupert, électeur palatin, entre plusieurs concurrents, dont l'un fut assassiné par les autres. Cette élection ne fut pas généralement approuvée. AixlaChapelle refusa de conférer à Rupert le titre de roi des Romains; plusieurs autres villes du saintempire reculèrent devant la violation du serment qu'elles avaient prêté au successeur légitime de Charles IV. Une partie des domaines impériaux paya les subsides à Wenceslas, l'autre à Rupert. Sigismond brocha sur le tout, inonda la Bohême de ses garnisons et la désola de ses brigandages, s'arrogeant la souveraineté effective en attendant mieux, persécutant son frère dans l'intérieur de son royaume, soulevant la nation contre lui, et s'efforçant d'user les derniers ressorts de cette volonté déjà morte. Ainsi rien ne ressemblait plus à la papauté que l'Empire, puisqu'on vit vers le même temps trois papes se disputer la tiare, et trois empereurs s'arracher le sceptre des mains. Et l'on peut dire aussi que rien ne ressemblait plus à la France que la Bohême. A l'une un roi fainéant, poltron, ivrogne, abruti; à l'autre un pauvre aliéné, moins odieux et aussi impuissant. A la France, les dissensions des Armagnacs et des Bourgognes, et la fureur du peuple entre deux. A la Bohême, les ravages de Sigismond, la résistance à la fois molle et cruelle de la cour, et la voix du peuple, au nom de Jean Huss, précipitant l'orage. Mais là fut grande cette voix du peuple, que trop de malheurs et de divisions étouffaient chez nous sous le bâillon de L'étranger.

Wenceslas s'était rendu odieux dès le principe par ses moeurs brutales et son inaction. En , quelques seigneurs s'étant déclarés ouvertement contre lui, il appela des consuls allemands, à l'exclusion de ceux du pays, pour maintenir ses sujets dans l'obéissance, et fit périr les mécontents sur la place publique. La fière nation bohême ne put souffrir cet outrage, et ne lui pardonna jamais d'avoir appelé des étrangers à son aide pour décimer sa noblesse. Ce fut le principal prétexte allégué dans le soulèvement qui éclata par la suite, et où Jean Huss, au nom de l'Université de Prague, eut beaucoup de part. On lui reprocha encore amèrement le meurtre de Jean de Népomuck, ce vénérable docteur, qu'il avait fait jeter dans la Moldaw pour n'avoir pas voulu lui révéler la confession de sa femme. Enfin la mort de cette pieuse et douce Jeanne fut imputée à ses mauvais traitements. Tour à tour spoliateur des biens de son clergé et persécuteur des hérétiques, accusé par les orthodoxes d'avoir laissé couver et éclore l'hérésie hussite, par les réformateurs d'avoir abandonné Jean Huss aux fureurs du concile et maltraité ses disciples, il ne trouva de sympathie nulle part, parce qu'il n'avait jamais éprouvé de sympathie pour personne. Sigismond aida les mécontents à lui faire un mauvais parti, et un beau matin, en , l'empereur Wenceslas fut mis aux arrêts dans la maison de ville, ni plus ni moins qu'un ivrogne ramassé par la patrouille. Il s'en échappa tout nu dans un bateau, où une femme du peuple le recueillit, à telles enseignes qu'il en fit, dit-on, sa femme. Cependant Sigismond, levant le masque, fondait sur la Bohême. Les Bohémiens relevèrent leur fantôme de roi pour tenir l'usurpateur en respect et le repousser. Wenceslas n'en fut pas plus sage, et se mit en besogne de vendre son royaume pour boire. Il commença par la Lombardie, qui était un fief de l'Empire et qu'il donna à Jean Galéas Visconti pour , écus d'or. Il avait déjà perdu les villes, forts et châteaux de la Bavière, que Rupert, l'électeur palatin, lui avait enlevés; si bien que, traduit au ban de l'Empire, déclaré relaps, haï des siens, méprisé de tous, déposé le lendemain de son nouveau mariage avec Sophie de Bavière, il se trouva, en , réduit à sa petite Bohême. Pour un prince juste, aimé de son peuple, c'eût été pourtant une forteresse inexpugnable. La division et le morcellement des plus grandes puissances spirituelles et temporelles prouvait bien alors qu'il n'y avait plus de force que dans le sentiment national de quelques races chevaleresques. Mais Wenceslas ne savait et ne pouvait s'appuyer sur rien. En , «revenu à son mauvais naturel,» il fut pris par les grands et enfermé dans la tour noire du palais de Prague. Transféré dans diverses forteresses, il alla passer un an en captivité à Vienne, d'où il s'échappa encore dans un bateau. La Bohême l'accueillit encore, parce que Sigismond désolait le pays avec une armée de Hongrois. «Ils y firent des désordres inexprimables, tuant et violant partout où ils passaient. Ils enlevaient, sur leurs selles, de jeunes garçons et de jeunes filles, et les vendaient comme des chevreuils. Sigismond ne se montra pas moins cruel que ses gens; ne pouvant venir à bout de prendre un fort qu'il avait assiégé, il en tira sous de belles promesses, le jeune Procope, marquis de Moravie, prince du sang, et le fit attacher à une machine de guerre qui était devant la muraille, afin que les assiégés fussent contraints de tuer leur maître à coups de flèches.» Cet infortuné ayant survécu à ses blessures, Sigismond le fit conduire à Brauna et l'y laissa mourir de faim.

Wenceslas n'eut qu'à se montrer aux intrépides Bohémiens pour que Sigismond fût repoussé; mais plusieurs des principales places fortes de la Bohême restèrent entre ses mains, et l'on peut dire que jusqu'à la guerre des Hussites, cette nation gouvernée par un fantôme, et surveillée par un ennemi intérieur, fit l'apprentissage du gouvernement républicain qu'elle rêvait depuis longtemps et qu'elle allait essayer de mettre en pratique. Pendant cette sorte d'interrègne, qui dura encore une quinzaine d'années, si l'anarchie gagna les institutions et paralysa les moyens de développement matériel, il se fit en revanche un grand travail de recomposition dans les idées religieuses et sociales. L'esprit réformateur, qui, sous divers noms et sous diverses formes, fermentait en France, en Hollande, en Angleterre, en Italie et en Allemagne depuis plusieurs siècles, commença à asseoir son siège en Bohême, et à préparer ces grandes luttes que hâtaient l'établissement et l'exercice de l'inquisition. Quelques souvenirs historiques sont indispensables ici pour faire comprendre la courte mission de Jean Huss (de   à), l'influence prodigieuse que dans l'espace de ces sept années il exerça sur son pays, enfin le retentissement inouï de son martyre, que les quatorze sanglantes années de la guerre hussite firent si cruellement expier au parti catholique.

La race slave des Tchèques, que nous appelons à tort les Bohémiens, avait conservé ces institutions sorties de son propre esprit, et n'avait subi aucun joug étranger depuis le temps de sa reine Libussa, jusqu'après celui de Wenceslas V, au commencement du quatorzième siècle. La dynastie des Przemysl ducs de Bohême, avait donc duré six siècles. Le premier des Przemysl, tige de cette race illustre, fut, diton, un simple laboureur, que la reine Libussa tira de la charrue (comme Rome en avait tiré Cincinnatus), pour en faire son époux et le chef de son peuple. La légende naïve et touchante de l'antique Bohême rapporte qu'elle lui fit conserver ses gros souliers de paysan, et qu'il les légua au fils qui lui succédait, afin qu'il n'oubliât point sa rustique origine et les devoirs qu'elle lui imposait. Wladislas II fut le second de ses descendants qui porta le titre de roi. Ce titre lui fut conféré par Frédéric Barberousse. Mais il semble que ce fut pour cette race le signal de la fatalité. L'esprit conquérant qui s'emparait des souverains de la Bohême devait, suivant la loi éternelle, détruire la nationalité de leur domination. PrzemyslOttokar II posséda, avec la Bohême, l'Autriche, la Carniole, l'Istrie, la Styrie, une partie de la Carinthie, et jusqu'à un port de mer, ce qui, pour le dire en passant, pourrait bien purger la mémoire de Shakspeare d'une grosse faute de géographie. Il fit la guerre aux païens de Prusse, leur dicta des lois, bâtit Koenigsberg, prit sous sa protection Vérone, Feltre et Trévise, et refusa par excès d'orgueil, diton, plus que par modestie, la couronne impériale, qui échut à Rodolphe de Habsbourg, lequel le dépouilla d'une partie de ses domaines. Après lui, Wenceslas IV fut élu roi de Pologne. Wenceslas V, qui réunit la Hongrie à ces possessions, se perdit dans la débauche, fut assassiné à Olmutz et termina la dynastie nationale. Cinq ans après, Jean de Luxembourg montait sur le trône de Bohême, et l'influence allemande commençait à irriter les Bohémiens, livrés pour la première fois depuis tant de siècles à une main étrangère. Jean, politique habile et ambitieux, comprit son rôle, renvoya les fonctionnaires allemands et promena sa noblesse dans des guerres à l'étranger. Il finit par se promener luimême hors de la contrée, sous prétexte de maladie, mais en effet pour laisser aux Bohémiens le temps de s'habituer sans trop d'amertume à sa domination. Il fit plusieurs voyages en France, fréquenta les papes d'Avignon, et tout en respirant l'air salubre de ces contrées, revint un beau jour, rapportant de par un décret de l'autorité pontificale, la couronne impériale à son fils. Ce fils fut Charles IV, premier roi de Bohème, empereur. Ses grands travaux donnèrent à cette contrée un lustre qu'elle n'avait pas encore eu. Il bâtit la nouvelle ville de Prague, composa le code des lois, fonda le collège de Carlstein, et tenta de réunir la Moldaw au Danube. Mais son plus grand oeuvre fut la fondation de l'Université de Prague à l'instar de celle de Paris, où il avait étudié. Ce corps savant devint rapidement illustre et enfanta Jean Huss, Jérôme de Prague et plusieurs autres hommes supérieurs; c'estàdire qu'il enfanta le hussitisme, un idéal de république qui devait bientôt faire une rude guerre à la postérité de son fondateur.

Note : (retour) C'est à peu près comme si les étrangers, au lieu de nous confirmer notre glorieux nom de Francs, s'obstinaient à nous appeler Celtes. Les Boiens furent expulsés de la contrée à laquelle ils ont laissé le nom de Bohême ans avant notre ère, et les Tchèques sont une toute autre race.
Note : (retour) Cette tradition du paysanroi se retrouve chez tous les peuples slave.
Note : (retour) On sait que dans un de ses drames à époques incertaines il fait aborder sur un navire un de ses personnages en Bohème. Ce pouvait être la port de Naon qu'acheta le roi Ottokar, et qui posa fastueusement la limite de son empire au rivage de l'Adriatique.
Charles IV chérissait tendrement cependant cette Université, sa noble fille. Il y prenait tant de plaisir aux discussions savantes, que lorsqu'on venait l'interrompre pour l'avertir de manger, il répondait, en montrant ses docteurs échauffés à la dispute: «C'est ici mon souper; je n'ai pas d'autre faim.» Malgré cette sollicitude paternelle pour l'éducation des Bohémiens, ceuxci ne l'aimèrent jamais et lui reprochèrent de trop s'occuper des intérêts de sa famille. Le reproche fut peutêtre injuste; mais cette famille avait le tort impardonnable d'être étrangère: on le lui fit bien voir.

Sous Wenceslas l'ivrogne, fils de Charles IV, l'Université de Prague, forte de sa propre vie, grandit, se développa, acquit une immense popularité, et produisit Jean Huss, qu'elle envoya, comme le plus beau fleuron de sa couronne, au concile de Constance. Les pères du concile ne lui renvoyèrent même pas ses cendres. L'Université fit faire à la Bohème, dont elle était devenue la tête et le coeur, le serment d'Annibal contre Rome.

Il ne faudrait pas croire cependant que la conversion de ce peuple guerrier en un peuple raisonneur et théologien fût l'affaire de quelques années et l'oeuvre entière de l'Université. Les choses ne se passent pas ainsi dans la vie des nations. Permis aux pères des conciles de dire, dans le style du temps, que le royaume de Bohème, jusquelà fidèlement attaché à la religion, était devenu tout d'un coup l'égout de toutes les sectes. Il y avait bien longtemps, au contraire, que la Bohême tournait à l'hérésie, et que le monde civilisé tout entier, infecté de ce poison, lui en infiltrait tout doucement le venin.

Si j'écrivais cette histoire pour les hommes graves (comme on dit de tant d'hommes en ce tempsci où il y a si peu de gravité), je ne pourrais faire moins que de tracer maintenant l'histoire de l'hérésie. Il me faudrait, pour remonter à son berceau, remonter à celui de l'Église; ce serait un plus long et un peu lourd. Rassurezvous, Mesdames, c'est pour vous que j'écris, et ce que j'ai lu de tout cela, je vous le résumerai en peu de mots, d'autant plus qu'à cet égard l'histoire n'existe pas; l'histoire n'est pas faite. Rien de plus obscur et de plus embrouillé que la certitude de certains faits dans le passé. Peutêtre faudraitil s'occuper un peu de chercher celle du fait idéal; si l'on songeait bien aux causes morales des événements, on déterminerait peutêtre d'une manière plus satisfaisante la marche de ces événements; si l'on mettait un peu plus de sentiment dans l'étude de l'histoire, je crois qu'on devinerait beaucoup de choses qu'avec la seule érudition il sera peutêtre à jamais impossible d'affirmer.

Deviner l'histoire de la pensée humaine, voilà en effet à quoi nous sommes réduits en ce temps de scepticisme, après tant de siècles d'hypocrisie. Que disje? l'hypocrisie et le scepticisme sont de tous les temps, et presque toujours l'histoire, surtout l'histoire des religions, a été écrite sous l'une ou l'autre inspiration. L'Église a écrit l'histoire, c'est elle qui l'a le plus et le mieux écrite dans le passé: l'Église a été forcée de l'écrire selon ses intérêts, ses ressentiments et ses terreurs. Les souverains ont fait écrire l'histoire, et les souverains ont fait comme l'Église. Comme le pouvoir spirituel et le pouvoir temporel ont été aux prises éternellement, voilà déjà de grandes contradictions entre les historiens des deux camps. Puis les philosophes et les hérétiques ont écrit l'histoire: ressentiment et amertume contre les pouvoirs oppresseurs, crainte et jalousie entre les diverses sectes et les diverses philosophies, ignorance et précipitation de jugement, voilà ce qu'on trouve chez la plupart de ces historiens. Nouvelles contradictions! où est donc la vérité de l'histoire au milieu de ce conflit? L'histoire n'existe pas, je vous le jure; que les pédants en pensent ce qu'ils veulent!

Mais comme la Providence ne fait rien d'inutile, l'humanité, sur laquelle et par laquelle agit chez nous la Providence, ne fait rien d'inutile non plus. Le passé a entassé devant nous des montagnes de matériaux, l'avenir en profitera. Le présent s'en effraie et y porte une main timide. Mais vienne le réveil des grands sentiments, vienne un siècle des lumières qui ne sera ni celui de Léon X ni celui de Louis XIV, mais celui de la justice et de la droiture, l'histoire se fera, et nos petitsenfants en auront enfin une idée nette et bienfaisante.

Quoi, me direzvous, nous n'avons pas d'histoire? Et qu'avonsnous donc appris dans nos couvents?Hélas! Mesdames, vous n'y avez appris que l'Évangile, et encore ne l'avezvous pas compris. Vos filles pourraient commencer à apprendre quelque chose, car on a commencé à faire pour la jeunesse de bons ouvrages comparativement à ceux du passé. Quelques esprits élevés ont jeté de siècle en siècle une certaine clarté progressive sur cet abîme ténébreux. De nos jours de rares intelligences ont indiqué la route; la notion d'une nouvelle méthode supérieure à l'ancienne s'est répandue et tend à se populariser, en dépit de l'hypocrisie sceptique de l'Église et du scepticisme hypocrite de l'Université. Mais les seuls beaux travaux que nous possédions sur l'histoire ne sont encore que des aperçus de sentiment, des éclairs de divination. Je vous l'ai dit, nous en sommes à deviner l'histoire, en attendant qu'on nous la fasse et qu'on nous la donne tout expliquée et toute dévoilée.

Je conviens que certains points principaux semblent être du moins assez bien dépouillés de mensonge et d'ignorance pour qu'on puisse en juger. Si, sur tous les points, la besogne était assez bien débrouillée, l'ouvrage assez dégrossi, pour que la raison et le sentiment n'eussent plus qu'à se prononcer sur la conséquence et la moralité des faits, nous serions déjà bien avancés, et il ne faudrait pas se plaindre: demain nous aurions nos Hérodotes et nos Tacites. Mais nous n'en sommes pas là, et les plus instruits de nos maîtres avouent qu'il y a des côtés (selon moi, ce sont les plus importants) où tout est plongé dans un épais brouillard. Telle est l'histoire des hérésies; je ne vous citerai que cellelà, quoique celle de la religion officielle qu'on vous a enseignée et que vous enseignez à vos enfants soit tout aussi menteuse, tout aussi obscure, tout aussi incertaine. Mais mon sujet m'impose de me borner à la première, et je vous demande si vous en savez quelque chose? Ne rougissez pas d'avouer que non. Vos professeurs n'en savent guère plus.

Et comment le sauraientils? Figurezvous, Madame, qu'il y a là toute une moitié de l'histoire intellectuelle et morale de l'humanité, que l'autre moitié du genre humain a fait disparaître, parce qu'elle la gênait et la menaçait. Il faut que j'essaie de vous faire bien comprendre de quoi il est question, et vous verrez ensuite que cette sainte mère l'hérésie nous a engendrés tout aussi légitimement, tout aussi puissamment que notre autre mère la sainte Église. L'une nous a baptisés, confessés et dirigés de siècle en siècle à la lumière du jour; l'autre nous a travaillé le coeur, réchauffé l'esprit; elle nous a tourmentés, inspirés, poussés en avant de siècle en siècle par ses voix mystérieuses, toujours étouffées et toujours éloquentes; de profundis clamavi ad te, c'est le chant éternel, c'est le cri déchirant de l'hérésie plongée dans les cachots, ensevelie sous les bûchers, scellée vivante dans la tombe, comme elle l'est encore sous les ténébreux arcanes de l'histoire.

Femmes, quand je me rappelle que c'est pour vous que j'écris, je me sens le coeur plus à l'aise; car je n'ai jamais douté que malgré vos vices, vos travers, votre insigne paresse, votre absurde coquetterie, votre frivolité puérile, il n'y eût en vous quelque chose de pur, d'enthousiaste, de candide, de grand et de généreux, que les hommes ont perdu ou n'ont point encore. Vous êtes de beaux enfants. Votre tête est faible, votre éducation misérable, votre prévoyance nulle, votre mémoire vide, vos facultés de raisonnement inertes. La faute n'en est point à vous! Dieu a permis que dans l'oisiveté de votre intelligence votre coeur se développât plus librement que celui des hommes, et que vous conservassiez le feu sacré de l'amour, les trésors du dévouement, les charmes attendrissants de l'incurie romanesque et du désintéressement aveugle. Voilà pourquoi, pauvres femmes, nobles êtres qu'il n'a pas été au pouvoir de l'homme de dégrader, voilà pourquoi l'histoire de l'hérésie doit vous intéresser et vous toucher particulièrement; car vous êtes les filles de l'hérésie, vous êtes toutes des hérétiques; toutes vous protestez dans votre coeur, toutes vous protestez sans succès. Comme celle de l'Église protestante de tous les siècles, votre voix est étouffée sous l'arrêt de l'Église sociale officielle. Vous êtes toutes par nature et par nécessité les disciples de saint Jean, de saint François, et des autres grands apôtres de l'idéal. Vous êtes toutes pauvres à la manière des éternels disciples du paupérisme évangélique; car, suivant la loi du mariage et de la famille, vous ne possédez pas; et c'est à cette absence de pouvoir et d'action dans les intérêts temporels, que vous devez cette tendance idéaliste, cette puissance de sentiment, ces élans d'abnégation qui font de vos âmes le dernier sanctuaire de la vérité, les derniers autels pour le sacrifice.

J'essaierai donc de vous faire l'histoire de l'hérésie au point de vue du sentiment, parce que le sentiment est la porte de votre intelligence.

Vous n'êtes pas sans savoir qu'il y a aujourd'hui une grande lutte engagée dans le monde entre les riches et les pauvres, entre les habiles et les simples, entre le grand nombre qui est faible encore par ignorance, et le petit nombre qui l'exploite par ruse et par force. Vous savez qu'au milieu de cette lutte dont la continuité serait contraire aux desseins de Dieu, des idées profondes ont surgi; qu'elles ont pris toutes les formes, même celles de l'erreur et de la folie: enfin, que mille sectes philosophiques se partagent l'empire des esprits. Vous avez entendu parler de celles qui ont fait la révolution française, des jacobins, des montagnards, des girondins, des dantonistes, des babouvistes, des hébertistes même, etc. Depuis quinze ans, vous avez vu d'autres sectes déployer leurs bannières, d'autres idées, ou plutôt les mêmes idées au fond, prendre de nouvelles formes, chez les saintsimoniens, les doctrinaires, les fouriéristes, les communistes de Lyon, les chartistes d'Angleterre, etc., etc.

Ce que vous trouvez au fond de toutes ces sectes philosophiques et de tous ces mouvements populaires, c'est la lutte de l'égalité qui veut s'établir, contre l'inégalité qui veut se maintenir; lutte du pauvre contre le riche, du candide contre le fourbe, de l'opprimé contre l'oppresseur, de la femme contre l'homme (du fils même contre le père dans la législation, puisqu'il a fallu reconquérir la suppression du droit d'aînesse); de l'ouvrier contre le maître, du travailleur contre l'exploiteur, du libre penseur contre le prêtre gardien des mystères, etc.; lutte générale, universelle, portant sur tous les principes, partant de tous les points, imaginant tous les systèmes, essayant de tous les moyens. Vous n'êtes pas au bout; vous en verrez bien d'autres et de pires, si au lieu de laisser le champ libre à la discussion, le pouvoir s'obstine à contraindre d'une part, et à corrompre de l'autre.

Eh bien, au point où nous en sommes, vous ne pouvez pas supposer que tout cela soit absolument nouveau sous le soleil, que l'esprit humain ait enfanté toutes ces manifestations pour la première fois depuis cinquante ans. Il faudrait, pour cela, supposer que depuis cinquante ans seulement le genre humain a commencé à vivre et à se rendre compte de ses droits, de ses besoins de toutes sortes.

Et pourtant, si vous cherchez dans les historiens l'histoire suivie, claire et précise des manifestations progressives qui ont amené celles du dixhuitième siècle et celles d'aujourd'hui, vous ne l'y trouverez que confuse, tronquée et profondément inintelligente. Parmi les modernes, les uns, effrayés de la multiplicité des sectes et de l'obscurité répandue sur leurs doctrines par les arrêts mensongers de l'inquisition et l'autodafé des documents, ont craint de se tromper et de s'égarer; les autres ont tout simplement méprisé la question, soit qu'ils ne s'intéressassent point à celle qui agite notre génération, soit qu'ils n'aperçussent point ses rapports avec l'histoire des anciennes sectes. Parmi les anciens historiens, c'est bien autre chose. D'abord il y a plusieurs siècles (et ce ne sont pas les moins remplis de faits et d'idées) dont il ne reste rien que des arrêts de mort, de proscription et de flétrissure. Durant ces siècles, l'Église prononça la sentence de l'anéantissement des individus et de leur pensée: maîtres et disciples, hommes et écrits, tout passa par les flammes; et les monuments les plus curieux, les plus importants de ces âges de discussion et d'effervescence sont perdus pour nous sans retour.

Note : (retour) Depuis quelques années, de louables et heureuses tentatives ont été faites à cet égard. M. Michelet, M. Lavallée, M. Henri Martin surtout, ont commencé à jeter un nouveau jour sur ces questions, et à les traiter avec l'attention qu'elles méritent. Je ne parle pas des beaux travaux fragmentaires de l'Encyclopédie nouvelle, et de certains autres dont les idées que j'émets ici ne sont qu'un reflet et une vulgarisation.
Ainsi, le rôle de l'Église, dans ces tempslà, ressemble à l'invasion des barbares. Elle a réussi à plonger dans la nuit du néant les monuments de la pensée humaine; mais le sentiment qui enfanta ces idées condamnées et violentées ne pouvait périr dans le coeur des hommes. L'idée de l'égalité était indestructible; les bourreaux ne pouvaient l'atteindre: elle resta profondément enracinée, et ce que vous voyez aujourd'hui en est la suite ininterrompue et la conséquence directe.

Les siècles persécutés, et pour ainsi dire étouffés, dont je vous parle, embrassent toute l'existence du christianisme jusqu'à la guerre des hussites. Là l'histoire devient plus claire, parce que les insurrections religieuses aboutissent enfin à des guerres sociales.

Les questions se posent plus nettement, non plus tant sous la forme de propositions mystiques que sous celle d'articles politiques. Bientôt après arrive la réforme de Luther, les grandes guerres de religion, la création d'une nouvelle église, qui échappe aux arrêts de l'ancienne et qui conserve les monuments de son action historique, grâce à l'invention de l'imprimerie, qui neutralise celle des bûchers.

Il semblerait que cette nouvelle église de Luther, pénétrée d'amour et de respect pour les longues et courageuses hérésies qui l'avaient précédée, préparée et mise au monde, eût dû consacrer d'abord sa ferveur et sa science à reconstruire l'histoire de son passé, à refaire sa généalogie, à retrouver ses titres de noblesse. Elle était encore assez près des événements pour chercher dans ses traditions le fil de son existence, dont l'Église romaine avait détruit l'écriture. Elle ne le fit pourtant pas, occupée qu'elle était à se constituer dans le présent et à poursuivre une lutte active. Mais il faut bien avouer aussi que ses docteurs et ses historiens manquèrent souvent de courage et reculèrent avec effroi devant l'acceptation du passé. Ce passé était rempli d'excès et de délires. Nous l'avons dit plus haut, c'était le temps de la violence; et les hussites le disaient dans leur style énergique: C'est maintenant le temps du zèle et de la fureur. Nous dirons, plus tard, comment ils se croyaient les ministres de la colère divine. Mais ces délires, ces excès, ce zèle et cette fureur ne dévoraientils pas aussi le sein de l'Eglise romaine? Rome avaitelle le droit de leur reprocher quelque chose en fait de vengeance et de cruauté, de meurtre et de sacrilège? Les docteurs protestants reculèrent pourtant devant les accusations dont on chargeait la tête de leurs pères. Luther luimême, vous le savez, fut le premier à s'épouvanter du torrent dont il avait rompu la dernière digue. Comment eûtil pu accepter la tache glorieuse de son origine, lui qui désavouait déjà l'oeuvre terrible de ses contemporains et l'audace qu'il supposait à sa postérité?

Il légua son épouvante à ses pâles continuateurs. Les uns, reniant leur illustre et sombre origine, s'efforcèrent de prouver qu'il n'avaient rien de commun avec ceuxci ou ceuxlà; les autres, plus religieux, mais non moins timides, s'attachèrent à blanchir la mémoire de leurs aïeux dans l'hérésie de tous les excès qui leur étaient imputés. De là résulta une foule d'écrits, qu'il peut être bon de consulter, parce qu'il s'y trouve, comme dans tout, des lambeaux de vérité, mais auxquels il est impossible de se rapporter entièrement, pour connaître la vérité des sentiments historiques, à la recherche desquels nous voici lancés.

Note : (retour) M. Lenfant, dans une longue et curieuse histoire du concile de Bâle dont nous avons extrait ces notes sur la guerre hussitique, abandonne la cause, sans façon, à la sévérité de son siècle. Il raille et méprise plus souvent qu'il n'admire. M. de Beausobre, dans ses travaux trèssupérieurs comme intelligence, comme érudition et comme aperçu de sentiment, s'efforce de nier des faits qui ont cependant un caractère de vérité historique. Il donne un démenti général et particulier à toutes les assertions des écrivains catholiques, et poussant la partialité un peu loin, fait l'hérésie blanche comme neige.

Il ne s'agit ici de rien moins que de décider tout le contraire de ce qu'ont décidé des gens trèsgraves et trèssavants: à savoir que, comme il n'y a qu'une religion, il n'y a qu'une hérésie. La religion officielle, l'église constituée a toujours suivi un même système; la religion secrète, celle qui cherche encore à se constituer, cette société idéale de l'égalité, qui commence à la prédication de Jésus, qui traverse les siècles du catholicisme sous le nom d'hérésie, et qui aboutit chez nous jusqu'à la révolution française, pour se réformer et se discuter, à défaut de mieux, dans les clubs chartistes et dans l'exaltation communiste, cette religionlà est aussi toujours la même, quelque forme qu'elle ait revêtue, quelque nom dont elle se soit voilée, quelque persécution qu'elle ait subie. Femmes, c'est toujours votre lutte du sentiment contre l'autorité, de l'amour chrétien, qui n'est pas le dieu aveugle de la luxure païenne, mais le dieu clairvoyant de l'égalité évangélique, contre l'inégalité païenne des droits dans la famille, dans l'opinion, dans la fidélité, dans l'honneur, dans tout ce qui tient à l'amour même. Pauvres laborieux ou infirmes, c'est toujours votre lutte contre ceux qui vous disent encore: «Travaillez beaucoup pour vivre trèsmal; et si vous ne pouvez travailler que peu, vous ne vivrez pas du tout.» Pauvres d'esprit à qui la société marâtre a refusé la notion et l'exemple de l'honnêteté, vous qu'elle abandonne aux hasards d'une éducation sauvage, et qu'elle réprime avec la même rigueur que si vous connaissiez les subtilités de sa philosophie officielle, c'est toujours votre lutte. Jeunes intelligences qui sentez en vous l'inspiration divine de la vérité, et qui n'échappez au jésuitisme de l'Église que pour retomber sous celui du gouvernement, c'est toujours votre lutte. Hommes de sensation qui êtes livrés aux souffrances et aux privations de la misère, hommes de sentiment qui êtes déchirés par le spectacle des maux de l'humanité et qui demandez pour elle le pain du corps et de l'âme, c'est toujours votre lutte contre les hommes de la fausse connaissance, de la science impie, du sophisme mitré ou couronné. L'hérésie du passé, le communisme d'aujourd'hui, c'est le cri des entrailles affamées et du coeur désolé qui appelle la vraie connaissance, la voix de l'esprit, la solution religieuse, philosophique et sociale du problème monstrueux suspendu depuis tant de siècles sur nos têtes. Voilà ce que c'est que l'hérésie, et pas autre chose: une idée essentiellement chrétienne dans son principe, évangélique dans ses révélations successives, révolutionnaire dans ses tentatives et ses réclamations; et non une stérile dispute de mots, une orgueilleuse interprétation des textes sacrés, une suggestion de l'esprit satanique, un besoin de vengeance, d'aventures et de vanité, comme il a plu à l'Eglise romaine de la définir dans ses réquisitoires et ses anathèmes.

Maintenant que vous apercevez ce que c'est que l'hérésie, vous ne vous imaginerez plus, comme on le persuade à vous, femmes, et à vos enfants, lorsqu'ils commencent à lire l'histoire, que ce soit un chapitre insipide, indigne d'examen ou d'intérêt, bon à reléguer dans les subtilités ridicules du passé théologique. On a réussi à embrouiller ce chapitre, il est vrai; mais l'affaire des esprits sérieux et des coeurs avides de vérité sera désormais d'y porter la lumière. Prétendre faire l'histoire de la société chrétienne sans vouloir restituer à notre connaissance et à notre méditation l'histoire des hérésies, c'est vouloir connaître et juger le cours d'un fleuve dont on n'apercevrait jamais qu'une seule rive. On raconte qu'un Anglais (ce pouvait bien être un bourgeois de Paris), ayant loué, pour faire le tour du lac de Genève, une de ces petites voitures suisses dans lesquelles on voyage de côté, se trouva assis de manière à tourner constamment le dos au Léman, de sorte qu'il rentra à son auberge sans l'avoir aperçu. Mais on assure qu'il n'en était pas moins content de son voyage, parce qu'il avait vu les belles montagnes qui entourent et regardent le lac. Ceci est une parabole triviale, applicable à l'histoire. La montagne, c'est l'Église romaine, qui, dans le passé, domine le monde de sa hauteur et de sa puissance. Le lac profond, c'est l'hérésie, dont la source mystérieuse cache des abîmes et ronge la base du mont. Le voyageur, c'est vous, si vous imitez l'Anglais, qui ne songea point à regarder derrière lui.

Quand vous lisez l'Évangile, les Actes des apôtres, les Vies des saints, et que vous reportez vos regards sur la vérité actuelle, comment vous expliquezvous cette épouvantable antithèse de la morale chrétienne avec des institutions païennes?

Quelques formules de notre code français (ce ne sont que des formules!) rappellent seules le précepte de Jésus et la doctrine des apôtres. Si l'empereur Julien revenait tout à coup parmi nous et qu'on lui montrât seulement ces formules, il s'écrierait encore une fois: «Tu l'emportes, Galiléen!» Et si saint Pierre, le chef et le fondateur dont l'Église romaine se vante, était appelé à la même épreuve, il ne manquerait pas de dire: «Voilà l'ouvrage de ma chère fille la sainte Église.» Mais le pape serait là pour lui répondre: «Que ditesvous là, saint père? c'est l'abominable ouvrage d'une abominable révolution, dont les fanatiques ont brisé vos autels, outragé vos lévites et profané nos temples.» Je suppose que saint Pierre, étourdi d'une pareille explication, appelât saint Jean pour le tirer de cet embarras; saint Jean, qui en savait et en pensait plus long que lui sur l'égalité, lui dirait: «Prenez garde, frère, j'ai bien peur que le coq n'ait chanté sur le clocher de votre Église romaine.» Et alors, appelant le pape à rendre témoignage: «Qu'avezvous donc fait vous et les autres, pour que les fanatiques de l'égalité se portassent à de tels excès contre vous et votre culte?Nous avions fait notre devoir, répondrait le pape; nous avions condamné et persécuté JeanJacques Rousseau, Diderot et tous les fauteurs de l'hérésie.» Alors saint Jean voudrait savoir qui étaient ces grands saints qui avaient résisté à l'Église au nom du précepte du Christ, car il ne les jugerait pas autrement. Il voudrait connaître tous ceux qui avaient suscité l'hérésie de l'évangile; et, de siècle eu siècle, remontant par le dixhuitième siècle à Luther et à Jean Huss, et par Wicklef à Pierre Valdo, et par Jean de Parme à Joachim de Flore, et par eux à saint François; et par saint François à une suite ininterrompue d'apôtres de l'égalité chrétienne, il remonterait ainsi par le torrent de l'hérésie jusqu'à luimême, à sa doctrine, à sa parole. Il laisserait alors saint Pierre s'arranger avec Grégoire VII et tous ses orthodoxes jusqu'à Grégoire XVI, et retournerait vers son divin maître Jésus pour lui rendre compte du cours bizarre des affaires de ce monde.

Voilà donc tout bonnement l'histoire de ce monde. D'un côté les hommes d'ordre, de discipline, de conservation, d'application sociale, d'autorité politique; ces hommeslà, qui n'ont pas choisi sans motif saint Pierre pour leur patron, bâtissent et gouvernent l'Église avec une grande force, avec beaucoup d'habileté, de science administrative, de courage et de foi dans leur principe d'unité. Ils font là un grand oeuvre; et plusieurs d'entre eux, préservant à certaines époques la société chrétienne des bouleversements de la politique, de l'ambition brutale des despotes séculiers, et de l'envahissement des nations aux instincts barbares, sont dignes d'admiration et de respect. Mais tandis qu'ils soutiennent cette lutte au nom du pouvoir spirituel contre le pouvoir temporel, ils prennent les vices du monde temporel et trempent dans ses crimes. Ils oublient, ils sont forcés d'oublier leur mission divine, idéale! Ils deviennent conquérants et despotes à leur tour; ils oppriment les consciences et tournent leur furie contre leurs propres serviteurs, contre leurs plus utiles instruments.

Ces serviteurs ardents, ces instruments précieux d'abord, mais bientôt funestes à l'Église, ce sont les hommes de sentiment, d'enthousiasme, de sincérité, de désintéressement et d'amour; c'est l'autre côté de la nature humaine qui veut se manifester et faire régner la doctrine du Christ, la loi de la fraternité sur la terre. Ils n'ont ni la science organisatrice, ni l'esprit d'intrigue, ni l'ambition qui fait la force, ni la richesse qui est le nerf de la guerre. Les papes l'ont toujours parce qu'ils trouvent moyen de s'associer aux intérêts des souverains, et ils font mieux que de faire la guerre euxmêmes; ils la font faire pour eux, ils la suscitent et la dirigent. Les apôtres de l'égalité sont pauvres. Ils ont fait voeu de pauvreté; à une certaine époque, ils sortent principalement des associations de frères mendiants; ils se répandent sur la terre en vivant d'aumônes et souvent de mépris. Ils ne peuvent s'appuyer que sur le pauvre peuple, chez lequel ils trouvent d'immenses sympathies. En l'éclairant dans la voix de l'Évangile, ils font sortir de son sein de nouveaux docteurs qui, sans s'adjoindre à eux officiellement, et souvent même en s'en détachant tout à fait, continuent leur oeuvre, entrent en guerre ouverte avec l'Église, sont flétris du nom d'hérétiques, agitent les masses, se répandent dans le monde sous divers noms, y prêchent le principe sous divers aspects, et partout y subissent la persécution. Mais le destin de l'hérésie n'est pas de triompher brusquement de l'Église; elle ne peut que la miner sourdement, l'ébranler quelquefois par l'explosion des menaces populaires, être ensuite sa dupe, son jouet, sa victime, et finir par le martyre pour renaître de ses propres cendres, s'agiter encore, s'engourdir dans la constitution avortée du luthérianisme, et se fondre enfin dans la philosophie française du dixhuitième siècle. Vous savez le reste de son histoire, je vous en ai indiqué la trace. Elle revit aujourd'hui en partie dans la grande insurrection permanente des Chartistes, et en partie dans les associations profondes et indestructibles du communisme. Ces communistes, ce sont les Vaudois, les pauvres de Lyon ou léonistes qui faisaient dès le douzième siècle le métier de canuts et l'office de gardiens du feu sacré de l'Évangile. Les chartistes, ce sont les wickléfistes qui, au quatorzième siècle remuaient l'Angleterre et forçaient Henri V à interrompre plusieurs fois la conquête de la France. Si je cherchais bien, je trouverais quelque part les Hussites; et quant aux Taborites et aux Picards, et même aux Adamites, j'ai la main dessus, mais je ne suis pas obligé de les désigner. Le petit nombre de ces derniers dans le passé et dans le présent ne leur laisse que peu d'importance. Ils ne sont point destinés à en avoir jamais. Leur idée est excessive, délirante, et comme les convulsions de la démence, elle est un symptôme de mort plus que de guérison. Ces surexcitations de l'enthousiasme sont destinées à disparaître. Je ne les indique ici que parce qu'elles jouent un rôle dans la guerre des hussites, et qu'il sera bon de faire leur part quand j'aurai à montrer leur action.

Maintenant, si le sujet vous intéresse, cherchez dans les livres d'histoire le récit des grandes insurrections des pastoureaux, des vaudois, des beggards, des fratricelles, des lolhards, des wickléfistes, des turlupins, etc. Je ne me charge de vous raconter que celles des hussites et des taborites qui n'en font qu'une. L'histoire de toutes ces sectes et d'une quantité d'autres que je ne vous nomme pas, n'en forme qu'une non plus, quoi qu'en puissent dire les érudits qui ont voulu faire de si grandes distinctions entre elles. C'est l'histoire du Joannisme, c'estàdire l'interprétation et l'application de l'Évangile fraternel et égalitaire de saint Jean. C'est la doctrine de l'Évangile éternelle ou de la religion du SaintEsprit, qui remplit tout le moyen âge et qui est la clef de toutes ses convulsions, de tous ses mystères. Trouvezmoi une autre clef pour ouvrir tous les problèmes du temps présent, sinon permettezmoi de commencer mon récit; car il ressemble beaucoup jusqu'ici à celui du caporal Trimm, qui s'appelait précisément l'Histoire des sept châteaux du roi de Bohême.

Note : (retour) Les rivalités et les inimitiés de ces sectes entre elles ne prouvent qu'une vérité banale; c'est qu'il est fort difficile de s'entendre sur les moyens de réaliser une grande entreprise; mais le même but, la même idée est au fond de toutes.

II.

Nous avons justement laissé le roi de Bohême, Wenceslas l'ivrogne, dans un de ses châteaux (c'était je crois, celui de Tocznik), tandis que Jean Huss, le jeune recteur de l'université de Prague, traduisait en bohémien les livres de Wicklef, et prêchait le wickléfisme. Le wickléfisme était une des nombreuses formes qu'avait prises la doctrine de l'Évangile éternel, la grande hérésie lancée dans le monde depuis plusieurs siècles, et formulée par l'abbé Joachim de Flore, en . Wicklef était mort, mais le wickléfisme survivait à son apôtre, et les adeptes, sous le nom de Lollards, préparaient une grande insurrection, se fiant peutêtre aux relations, et l'on dit même aux engagements que, soit curiosité, soit enthousiasme, Henri V avait contractés avec eux dans les années orageuses de sa jeunesse. Ils cherchèrent des sympathies chez les autres peuples, et y répandirent mystérieusement leur doctrine, s'adressant aux hommes les plus remarquables, suivant l'usage de ces temps de persécutions. Ou prétend que Jean Huss repoussa d'abord avec horreur la pensée de l'hérésie, mais qu'il fut séduit par deux jeunes gens arrivés d'Angleterre, sous prétexte de prendre ses leçons. On raconte même à ce sujet une anecdote qui ressemble fort à une légende. Mais la poésie des traditions à son importance historique; elle donne, mieux parfois que l'histoire, l'idée des moeurs et des sentiments d'une époque: enfin elle ajoute la couleur au dessin souvent bien sec de l'histoire, et à cause de cela, elle ne doit pas être méprisée.

Nos deux écoliers wickléfistes prièrent donc Jean Huss, leur maître et leur hôte, de leur permettre d'orner de quelques fresques le vestibule de sa maison. «Ce qu'ayant obtenu, ils représentèrent, d'un côté, JésusChrist entrant à Jérusalem sur une ânesse, suivi de la populace à pied; et, de l'autre, le pape monté superbement sur un beau cheval caparaçonné, précédé de gens de guerre bien armez, de timbaliers, de tambours, de joueurs d'instruments, et des cardinaux bien montez et magnifiquement ornez.» Tout le monde alla voir ces peintures, les uns admirant, les autres criminalisant les tableaux.»

Jean Huss aurait donc été frappé de l'antithèse ingénieuse que cette image lui mettait sous les yeux à toute heure. Il aurait médité sur la simplicité indigente du divin maître et de ses disciples, les pauvres de la terre et les simples de coeur; sur la corruption et le luxe insolent de l'autocratie catholique, et il se serait décidé à lire Wicklef. Aussitôt qu'il se fût mis à le répandre et à l'expliquer, de nombreuses sympathies répondirent à son appel. La Bohême avait bien des raisons pour abonder dans ce sens sans se faire prier. D'abord, comme nous l'avons déjà dit plus haut, la haine du joug étranger, puis celle du clergé qui la pressurait et la rongeait, affreusement. Dans le peuple fermentait depuis longtemps un levain de vengeance contre les richesses des couvents; les récits qu'on a faits de ces richesses ressemblent, à des contes de fées. La doctrine des Vaudois avait depuis longtemps pénétré, dans les montagnes de la Moravie. On dit même que lors de la persécution que leur fit subir Charles V, à l'instigation du pape Grégoire XI, Pierre Valdo en personne était venu finir ses jours en Bohême. Les lolhards de Bohême dont le nom ressemble bien à celui des lollards d'Angleterre, étaient originaires d'Autriche. Un de leurs chefs, brûlé à Vienne en , avait déclaré qu'ils étaient plus de huit mille en Bohême. Les historiens constatent aussi des irruptions de béguins ou beggards, d'adamites, de turlupins, de flagellants et de millénaires dans les pays slaves et en Bohême surtout, à différentes époques. Prague avait eu déjà d'illustres docteurs qui avaient prêché que la fin du monde ancien était proche, que l'Antéchrist était apparu sur la terre, et qu'il siégeait sur le trône pontifical. Jean de Miliez, un des plus célèbres, avait été mandé à Rome pour se disculper, et on dit qu'il avait écrit ces propres paroles sur la porte de plusieurs cardinaux. On cite aussi Mathias de Janaw, dit le Parisien parce qu'il avait étudié à Paris, «illustre par sa merveilleuse dévotion, et qui, par son assiduité à prêcher, a souffert une grande persécution, et cela à cause de la vérité évangélique.» Celuilà détestait les moines, et leur reprochait «d'avoir abandonné l'unique sauveur JésusChrist pour des François et des Dominique». On ne voit point que l'enthousiasme joannite des ordres mendiants ait établi un lien sympathique entre eux et les Bohémiens. Soit que ceux de ces moines qui habitaient le pays ne partageassent pas cet enthousiasme à l'époque où il éclata en Italie et en France, soit que la haine des couvents l'emportât sur toute similitude de doctrine chez les Bohémiens, il est certain que cette doctrine changeant de nom et de prédicateurs, leur arriva un peu tard et leur servit d'arme contre tous les ordres religieux.

Note : (retour) Milicius, suivant la coutume des historiens de cette époque de latiniser tous les noms. Il ne paraît pas que tous ces docteurs hérétiques sortis des rangs du peuple aient tenu à leurs noms de famille, mais beaucoup à leur nom de baptême et à celui de leur village. Jean Huss prit le sien de Hussinetz, où il était né. Je prierai mes lectrices de faire attention, en lisant l'histoire de ces siècles, à la prodigieuse quantité de théologiens célèbres dans l'Eglise ou dans l'hérésie qui portent le prénom de Jean. À l'époque de la prédication du joannisme et de la dévotion à l'évangile de saint Jean, ce n'est pas un fait indifférent.

Ces docteurs bohémiens avaient tenté surtout de rétablir les coutumes de l'Église grecque, auxquelles la Bohême, convertie primitivement au christianisme par des missionnaires orientaux, avait toujours été singulièrement attachée. La communion sous les deux espèces et l'office divin récité dans la langue du pays, étaient surtout les cérémonies qui lui paraissaient constituer sa nationalité, représenter ses franchises et préserver dans l'esprit du peuple l'égalité des fidèles devant Dieu et devant les hommes de la tyrannie orgueilleuse du clergé. Nous reviendrons sur cet article, qui est le motif de la guerre hussitique et le symbole de l'idée révolutionnaire de la Bohême à cette époque, ainsi que l'enveloppe extérieure de l'oeuvre du Taborisme.

La noblesse tenait tout autant que le peuple (du moins la majorité de la pure noblesse bohème) à ces antiques coutumes. Grégoire VII les avait anéanties. Mais l'autorité de cet homme énergique n'avait pu décréter l'orthodoxie d'une nation qui n'avait jamais été ni bien grecque, ni bien latine, qui portait l'amour de son indépendance principalement dans son culte, et qui jusquelà avait cru et prié à sa guise dans la simplicité et la pureté de son coeur. Pendant deux siècles après Grégoire VII, il y avait eu en Bohême un culte latin officiel pour la montre, pour l'obédience extérieure, et un culte grec devenu national, un culte qu'on pourrait appeler sui generis, pour la vie des entrailles populaires. On disait les offices en langue bohème, et on communiait sous les deux espèces dans les campagnes, et secrètement dans les villes; il y avait même plusieurs endroits où on l'avait toujours fait ostensiblement, grâce à des privilèges accordés et maintenus par les papes. Milicius fut persécuté et mourut dans les prisons, après avoir restauré l'ancien rite assez généralement. Mathias de Janaw était confesseur de Charles IV, qui l'aimait beaucoup et qui ne paraît pas avoir été bien décidé entre les principes hardis de son université et les menaces du saintsiège. On osa demander à cet empereur de travailler à la réformation de l'Église; il eut peur, repoussa la tentation, éloigna Mathias, cessa de communier sous les deux espèces, et laissa l'inquisition sévir contre ses coreligionnaires. On n'administrait donc plus cette communion sur la fin de son règne, que dans les maisons particulières, «et à la fin, dans les endroits cachez; mais ce n'étoit pas sans périls de la vie.» Quand on se saisissait des communiants, «on les dépouilloit, on les massacroit, on les noyoit; de sorte qu'ils furent obligez de s'assembler à main armée, et bien escortez. Cela dura de part et d'autre jusqu'au temps de Jean Huss.»

On voit maintenant comment, en peu d'années, Jean Huss devint le prophète de la Bohême. Il prêcha ouvertement le mépris de la papauté, la liberté de la communion et des rites. À la suite d'une querelle de règlement, il avait fait chasser presque tous les gradués allemands de l'Université. L'inquisition réprimanda et fit brûler les livres de Wicklef. Huss n'en prêcha que plus haut et souleva maintes fois le peuple enclin aux nouveautés. Son archevêque n'avait pas beaucoup de pouvoir contre lui; l'abrutissement de Wenceslas livrait l'État à l'anarchie. Irrité contre le pape qui l'avait déposé de l'empire, il n'était pas fâché de lui voir susciter un mauvais parti. Son frère et son ennemi Sigismond, qui par ses intrigues gouvernait une partie de la noblesse bohème, n'était guère plus content du saintsiège, parce que celuici avait longtemps soutenu son concurrent Rupert au royaume de Hongrie; d'ailleurs, les Turcs lui donnaient assez d'occupation pour le distraire de l'hérésie.

Jean Huss prêcha en bohémien à la chapelle de Bethléem, en latin au palais royal de Prague et dans les synodes et assemblées générales du clergé bohème, contre le clergé romain et contre toute la discipline ecclésiastique. Secondé par Jérôme de Prague, Jacques de Mise, dit Jacobel, Jean de Jessenitz, Pierre de Dresden et plusieurs autres, il commença à fanatiser les artisans et les femmes, qui, de leur côté, commencèrent à dogmatiser aussi, et même à écrire des livres, déclarant qu'il n'y avait plus d'Église sur la terre que celle des hussites.

Note : (retour) Pierre de Dresden est, diton, l'auteur de ces hymnes et de ces chansons spirituelles entremêlées d'allemand et de latin qui sont encore en usage dans les églises de la confession d'Augsbourg. Ou lui en attribue aussi la musique. (M. Lenfant.)

Tout le monde sait la suite de l'histoire de Jean Huss. Après avoir subi en Bohème plusieurs persécutions, il fut cité devant le concile. «Il comparut sur la foi d'un saufconduit de l'empereur Sigismond. Il n'en fut pas moins emprisonné à son arrivée à Constance, pendant qu'une commission, déléguée par le concile, examinait ses doctrines. Il fut condamné en même temps que la mémoire de son maître Wicklef. Jean Huss montra d'abord quelque hésitation; mais il reprit bientôt toute sa fermeté, ne voulant point se rétracter à moins qu'on ne lui prouvât ses erreurs par l'Écriture, appela du concile au tribunal de JésusChrist, et déclara qu'il aimerait mieux être brûlé mille fois que de scandaliser par son abjuration ceux auxquels il avait enseigné la vérité. Il fut dégradé des ordres sacrés, livré au bras séculier par le concile, et conduit au bûcher d'après l'ordre de ce même empereur qui lui avait garanti par serment la vie et la liberté. Jérôme de Prague avait été arrêté et amené prisonnier à Constance quelque temps auparavant. Il faiblit, renia Wicklef et Jean Huss, et fut absous. Quelque temps après, il fit demander au concile une audience publique, déclara qu'il avait menti à sa conscience, et qu'il croyait à la vérité des enseignements de ses maîtres; puis il marcha intrépidement au supplice. Il y eut quelque chose de plus fatal et de plus sinistre que cette double catastrophe: ce fut la théorie qu'inventa le concile pour la justifier. Un décret du concile défendit à chacun, sous peine d'être réputé fauteur d'hérésie et criminel de lèsemajesté, de blâmer l'empereur et le concile touchant la violation du saufconduit de Jean Huss.»

Note : (retour) Sigismond, arrivé à l'empire en par la mort de Rupert, voulut consolider par ce sacrifice son alliance avec Rome.
Note : (retour) On raconte que Jean Huss, pendant qu'il lisait les livres de Wicklef, se donnait l'étrange plaisir de se brûler le bout des doigts à la flamme de sa lampe. Interrogé sur cet étrange passetemps, il répondit en montrant le livre: «Voila un calice qui me mènera loin.»
Note : (retour) M. Henri Martin, Histoire de France.

Pendant tout ce procès, les hussites de Bohême s'étaient tenus, le peuple, dans une attente sombre et douloureuse, les nobles dans un silence irrité. A la nouvelle de son supplice, presque toute la Bohème s'émut, depuis ces gens de la lie du peuple, qu'on lui avait tant reproché d'avoir pour auditoire, jusqu'à ces vieux seigneurs qui avaient vu en lui le restaurateur de leurs antiques franchises et de leurs coutumes nationales. L'Université, saisie unanimement d'une véhémente indignation, rendit un témoignage public, adressé à toute la chrétienté, en faveur du martyr. « saint homme! disait ce manifeste, ô homme d'une vertu inestimable, d'un désintéressement et d'une charité sans exemple! Il méprisait les richesses au souverain degré, il ouvrait ses entrailles aux pauvres; on le voyait à genoux au pied du lit des malades. Les naturels les plus indomptables, il les gagnait par sa douceur, et ramenait les impénitents par des torrents de larmes. Il tirait de l'Écriture sainte, ensevelie dans l'oubli, des motifs puissants et tout nouveaux pour engager les ecclésiastiques vicieux à revenir de leurs égarements et pour réformer les moeurs de tous les ordres sur le pied de la primitive Église.»..... «Les opprobres, les calomnies, la famine, l'infamie, mille tourments inhumains, et enfin la mort, qu'il a soufferte, tout cela nonseulement avec patience, mais avec un visage riant: toutes ces choses sont un témoignage authentique d'une constance, aussi bien que d'une foi et d'une piété inébranlables chez cet homme juste, etc.»

Des lettres de sanglants reproches furent adressées au concile de toutes parts. On lui disait qu'il avait été assemblé, non par l'esprit de Dieu, mais par l'esprit de malice et de fureur; qu'il avait condamné un innocent sur la déposition de personnes infâmes, sans vouloir écouter celle des évêques, des docteurs et des gens de bien de la Bohème, qui témoignaient de son orthodoxie et de sa foi; que c'était une assemblée de satrapes que ce concile, et le conseil des Pharisiens contre JésusChrist; et mille autres invectives, dont plusieurs sont remplies d'éloquence. Ces pièces coururent toute l'Allemagne, et irritèrent violemment le pape et les cardinaux. Jean Dominique, légat du pape, fut si mal reçu en Bohème, qu'il écrivit au pontife et à l'empereur: Les Hussites ne peuvent être ramenés que par le fer et par le feu. Sigismond ne voulut pas se hâter de ruiner un royaume qu'il regardait comme sien. Il hésita, et la révolution n'attendit pas qu'il eut pris son parti.

Elle commença religieusement par instituer un anniversaire commémoratif de la mort du martyr Jean Huss (juillet), et par faire célébrer ses louanges dans toutes les églises; puis elle frappa des médailles en son honneur, et l'Université, qui était à la tête du mouvement, publia sa déclaration de foi, la première formule du hussitisme.

Cette déclaration, signée de maître Jean Cardinal et de toute l'Université, ne porte absolument que sur le droit auquel prétendent les hussites de communier sous les deux espèces, conformément à l'institution de Christ, à ses propres paroles, à celles de saint Jean et aux principes purs de la saine orthodoxie. Ils traitent le retranchement de la coupe de constitution humaine, nouvellement inventée et inconnue aux sacrés canons; pardonnent à ceux qui, par ignorance et simplicité, se sont soumis jusquelà à cette ordonnance, et finissent par déclarer que désormais il ne faut avoir égard à ce dogme d'invention humaine, et s'en tenir à la doctrine de Jésus, qui doit l'emporter sur toute puissance insidieuse et redoutable, sur toutes comminations et terreurs.

Une telle déclaration ne paraissait pas devoir entraîner de grands orages. Les orthodoxes romains n'y trouvaient pas beaucoup à redire, sinon que «si ce n'était point une hérésie en soi de communier sous les deux espèces, c'en était une de dire que l'Église péchait en n'administrant ce sacrement que sous une seule.» Jusquelà on n'était aux prises que sur une subtilité, et le raisonnement de l'orthodoxie était un sophisme. Mais si la déclaration de l'Université satisfaisait les classes aristocratiques, la noblesse, le clergé et même la bourgeoisie de Bohème, il s'en fallait de beaucoup qu'elle fût l'expression de la religion des masses, qui se sentaient travaillées par la doctrine ardente de l'Évangile éternel et par toutes les idées confuses, mais passionnées, d'égalité évangélique, que les prêtres du concile appelaient la lèpre vaudoise. Wicklef et Jean Huss, théologiens consommés dans l'acception de la philosophie scolastique, érudits recherchés et honorés, hommes de science et par conséquent hommes du monde, soit qu'ils n'eussent pas été aussi loin que leurs adeptes prolétaires dans leur conception d'une nouvelle société chrétienne, soit qu'ils eussent voilé cette conception idéale sous des formules de simple discipline réformatrice, avaient écrit avec cette prudence de raisonnement que doivent conserver les hommes en vue pour ne pas compromettre leur doctrine dans la discussion avec les sophistes et les puissants de ce monde. Les âmes populaires plus pressées par leur feu intérieur et par leurs souffrances matérielles, avaient vite songé à réaliser l'idée cachée au fond de cette question de dogme; et, tandis que les classes patientes par nature et par position se contentaient de réclamer la coupe, les pauvres, conduits et agités par divers types de fanatiques, s'apprêtaient à réclamer l'égalité et la communauté de biens et de droits, dont la coupe n'était pour eux que le symbole. Ainsi, les patriciens, les classes aisées et la plupart des habitants industriels des grandes villes commençaient à former la secte des calixtins ou des hussites purs, tandis que les paysans, les ouvriers avec leurs femmes et leurs enfants, grondaient sourdement, comme la mer à l'approche d'une tempête, se préparant aux fureurs du Taborisme et des autres sectes, sublimes de courage et féroces d'instinct, qui devaient victorieusement résister à Rome et à tout l'empire germanique, durant quatorze ans.

Déjà, du temps de Jean Huss, ces exaltés avaient émis l'opinion que le prêtre n'était rien de plus qu'un autre homme, et que tout chrétien était prêtre de son plein droit pour interpréter les mystères et administrer les sacrements. Au concile de Constance, des cordonniers de Prague avaient été accusés d'entendre les confessions et d'administrer le sacré corps de NotreSeigneur. Les seigneurs bohémiens présents à cette accusation en avaient défendu, en rougissant, l'honneur de la Bohème, et le fait parut si énorme, qu'on n'osa persister à le reprocher à Jean Huss. Mais les cordonniers de Prague n'en furent peutêtre pas trèsémus, et l'on vit une femme du peuple arracher l'hostie des mains du prêtre, en disant qu'une femme de bonne vie était plus digne qu'un prêtre infâme de toucher le pain du ciel.

Comme les émeutes et les violences commençaient, et que plusieurs gentilshommes de l'intérieur, espèce de Burgraves qui faisaient depuis longtemps le métier de bandits pour leur propre compte, se servaient du hussitisme comme d'un prétexte pour piller les églises, rançonner les couvents et détrousser les voyageurs, les grands de Bohème s'assemblèrent pour délibérer sur les conséquences de la déclaration de l'Université. Ils formèrent une députation des plus considérables d'entre eux, pour aller trouver le roi et l'inviter à s'occuper un peu de son royaume. Il y avait beaucoup d'analogie, nous l'avons dit, entre la condition de ces deux monarques contemporains, Wenceslas l'ivrogne et Charles VI l'insensé. Cachés au fond de leurs châteaux, ils n'étaient heureux que lorsqu'on les oubliait, et ne reparaissaient que malgré eux sur la scène, où on les rappelait aux jours du danger, comme de vieux drapeaux qu'on tire de la poussière.

Wenceslas, effrayé des troubles, s'enivrait pour se donner du coeur, dans sa forteresse de Tocznik au sommet d'une montagne du district de Podwester. Dès qu'il aperçut les députés, il eut peur et se barricada. On parvint cependant à en introduire quelquesuns auprès de lui, et ils le décidèrent à venir habiter Prague, où il se renferma dans la forteresse de Wyssobrad. C'était un pauvre porterespect, que ce roi fainéant, abruti dans la débauche et naturellement poltron, bien qu'il eût parfois des velléités de cruauté et des heures de rage aveugle. Dès qu'il fut arrivé dans sa capitale, des députés de la ville vinrent lui demander des églises pour y enseigner le peuple à leur manière, et y donner la communion des subutraquistes. Il leur demanda du temps pour y penser, et fit dire sous main à Nicolas, seigneur de Hussinetz, qui était à leur tête, qu'il filait là une corde pour se faire pendre. Les hussites de Prague insistèrent les armes à la main. Les conseillers du roi répondirent en son nom par des menaces. Le sénat fut alarmé de ces mutuelles dispositions; mais Jean Ziska, chambellan de Wenceslas, apaisa l'affaire et retarda l'explosion, en disant au peuple, sur lequel il exerçait déjà une grande influence, qu'il fallait attendre l'issue du concile, et ses résolutions pour ou contre le hussitisme.

Note : (retour) Partisans de la communion sous les deux espèces. C'est ainsi qu'on appelait alors les calixtins ou hussites purs.
Il est temps de parler du redoutable aveugle Jean Ziska du calice. Il y a tant d'obscurité sur ses commencements, qu'on ignore son nom de famille. On sait seulement qu'il s'appelait Jean, le nom à la mode dans ces tempslà; le surnom de Ziska signifie borgne: il l'était depuis son enfance. On assure qu'il était noble. Il naquit pauvre, et vécut dans la pauvreté au milieu du pillage, par sobriété naturelle et par austérité de caractère, mais sans qu'il ait paru regarder le communisme pratiqué par ses soldats comme autre chose qu'une excellente mesure de discipline dans ces temps difficiles. Rien ne révèle en lui des aptitudes philosophiques, ni aucune méditation religieuse profonde. C'est un

fanatique de patriotisme; mais ce n'est point un fanatique de religion, et si ses instincts de divination stratégique approchent de la faculté extatique, il ne parait point s'être embarrassé beaucoup des questions théologiques de son temps. Il comprenait la mission qui lui était départie dans les jours du zèle et de la fureur, et il s'y donna tout entier. Entreprenant, opiniâtre, vindicatif, cruel, invincible et invaincu, cet homme était la colère de Dieu incarnée. Aussi, ce n'est pas un illuminé sublime comme Jeanne d'Arc; il n'est pas non plus comme elle l'inspiration et le coeur de la guerre patriotique; mais il en est la tête et le bras, et comme elle en est le palladium et l'oriflamme, il en est la torche et le glaive.

Il naquit à Trocznova, dans le district de Koenigsgratz, on ignore à quelle époque. On sait seulement qu'il fut page de Charles IV, et qu'il servit avec éclat en Pologne dans la guerre contre les chevaliers Teutoniques, en . Il est probable qu'il n'avait guère moins de quarantecinq ans au début de la guerre des hussites. Il était au service de Wenceslas à l'époque du supplice de Jean Huss, et on assure qu'il obtint de son maître la permission de jurer haine et vengeance contre les meurtriers. I fut de ceux qui regardèrent la perfidie du concile et la raillerie féroce du saufconduit de Sigismond comme une injure faite à la Bohême. Mais quoique le fait dont je vais parler ne soit pas authentique, il a paru, à quelques historiens, motiver encore mieux l'espèce de rage qui transporta Ziska contre les moines; car on peut dire qu'il ne vécut que de leur sang pendant les sept années de sa terrible mission. Selon la tradition à laquelle je me fierais assez dans les pays dont l'histoire a été supprimée en grande partie ou refaite par les oppresseurs, un moine avait débauché ou violé sa soeur qui était religieuse, et Ziska aurait fait serment de venger ce crime sur tous les ecclésiastiques qui lui tomberaient sous la main. Il tint horriblement parole, et cette rancune le peint mieux que beaucoup d'autres motifs. Complètement désintéressé dans le pillage des couvents, et refusant sa part du butin avec une rigidité lacédémonienne, dépourvu de vanité ou d'ambition, nullement enthousiaste à la façon des fanatiques dont il était le chef, il semble qu'un motif personnel de vengeance ait pu seul l'entraîner à des fureurs si soutenues, si implacables, si froides, et savourées avec une volupté si profonde.

Cependant, quand on examine attentivement cette existence à la fois violente et calme de Jean Ziska, on est frappé de l'habileté politique qui préside à tous ses actes et on en vient à se demander à quels autres moyens il pouvait recourir pour procurer à son pays l'indépendance nationale que seul il se sentait la force de lui donner. Nous l'examinerons en détail, en le suivant, pour ainsi dire, pas à pas, et nous verrons à travers le sombre fanatisme qui lui a été injustement imputé, une volonté froide, clairvoyante, opiniâtre, beaucoup plus éclairée et beaucoup plus saine qu'on ne le pense. Ainsi nous regarderions sa vengeance personnelle comme un de ces stimulants que la Providence suscite aux grandes missions, mais non comme la cause et le but unique de la sienne. Le vulgaire se trompe toujours en ces sortes d'affaires; il veut résoudre le problème de toute une existence dans un seul fait, et ne voit pas que ce fait n'est que la goutte d'eau qui fait déborder le vase.

A l'instigation de Ziska, Wenceslas accorda donc ou laissa prendre aux hussites plusieurs églises, et, grâce à cet accommodement, l'année s'écoula sans que les premières conquêtes de la réforme fussent menacées ni entraînées à de grandes violences. Sigismond répondit aux reproches qu'on lui avait adressés, par une lettre à la fois lâche et insolente. Il se défendait d'avoir livré Jean Huss; prétendait avoir vu son malheur avec une douleur inexprimable, être sorti plusieurs fois du concile en fureur; puis il alléguait, non l'autorité infaillible des décisions de l'Église, mais la puissance politique de ce concile, composé, non de quelque peu d'ecclésiastiques, mais des ambassadeurs des rois, et des princes de toute la chrétienté. Enfin il menaçait les hussites d'une croisade qui serait suivie de grands scandales et de périls extrêmes. C'est pourquoi il les priait, trèsaffectueusement, de ne pas exposer tout un royaume à une totale désolation, et de rejeter toute nouveauté. Quant aux dérèglements qu'on reprochait au clergé, il prétendait, à l'exemple de ses prédécesseurs, ne point s'immiscer dans de telles affaires. Qu'ils se corrigent entre eux, disait il avec une railleuse indifférence, comme ils savent qu'ils doivent le faire. Ils ont l'Écriture sainte devant les yeux, et il n'est permis ni possible, à nous autres gens simples, de l'approfondir.

L'athéisme ironique de cette réponse dut blesser tous les Bohémiens dans leur loyauté et dans leur enthousiasme religieux. Bientôt après arriva la décision du concile à leur égard: elle était rédigée en vingtquatre articles, révoltants de tyrannie et de cruauté. Ils rappellent les plus odieuses proscriptions de Sylla et de Tibère. C'est une amplification des préceptes les plus honteux de délation et de férocité. Le premier article intime à Wenceslas l'ordre de jurer soumission et fidélité à l'Église romaine. Les vingttrois autres désignent tous les genres de rébellion qui doivent être punis par le fer et par le feu, ou tout au moins par l'exil et la misère. Tous les fauteurs du hussitisme sont condamnés à mort; qu'on les brûle, ainsi que tous les livres, tous les traités qui ont rapport aux doctrines de Wicklef et de Jean Huss, et toutes les chansons qui ont été faites contre le concile; que l'université de Prague soit réformée; qu'on en chasse les wickléfistes et qu'on les punisse; qu'on rétablisse l'ancienne communion, et que les transgresseurs soient punis; qu'on fasse comparaître devant le siège apostolique les principaux coupables, tels que sont Jean Jessenitz, Jacobel, Simon de Rockizane, Christian de Prachatitz, Jean Cardinal, Zdenko de Loben, etc., etc.; que tous ceux qui abjureront approuvent la condamnation de ceux qui, ne se rétractant pas, seront punis; que ceux qui défendent et protègent les wickléfistes et les hussites soient punis, et que ceux qui l'ont fait jurent de ne plus le faire, et, au contraire, de les poursuivre afin de les faire punir, c'estàdire bannir ou brûler, etc.

C'était condamner à mort la moitié de la Bohème et expatrier le reste, à moins que la Bohème ne se dégradât jusqu'à l'abjuration de sa foi, jusqu'à la ratification du crime, à moins qu'elle ne consentît, à s'effacer ellemême ignominieusement du rang des nations. Les Bohémiens prouvèrent bientôt que ce n'était pas là leur humeur.

Au mois de mai , le concile étant fini, le cardinal JeanDominique, cet inquisiteur déjà odieux à la Bohème, vint s'acquitter de sa légation et procéder par les voies de fait à la conversion des hérétiques. Il débuta par entrer dans l'église de Slana, au milieu de la communion hussite, par jeter les calices non consacrés sur le pavé, et par faire brûler un ecclésiastique et un séculier de cette communion. C'était briser la dernière digue et déchaîner la mer.

Des troubles violents éclatèrent sur tous les points. Wenceslas épouvanté n'osa rien faire pour les réprimer et feignit même de les approuver. Néanmoins les hussites délibérèrent d'élire un autre roi. Mais Coranda, un de leurs prêtres, éloquent et fin, les harangua fort spirituellement: Mes frères, leur ditil, quoique nous ayons un roi ivrogne et fainéant, cependant si nous jetons les yeux sur tous les autres, nous n'en trouverons point qui lui soit préférable: et on peut même le regarder comme le modèle des princes; car c'est son indolence qui fait notre force. Il est donc juste de prier Dieu pour sa conservation.Nous avons un roi et nous n'en avons point. Il est roi de nom et il ne l'est pas d'effet. Ce n'est que comme une peinture sur la muraille.Et que peut faire contre nous un roi qui est mort en vivant?

Ces plaisanteries pleines de sens eurent un succès égal auprès des révoltés et auprès du souverain. Wenceslas se souciait de sa vie beaucoup plus que de sa dignité. Il en prit beaucoup d'amitié pour Coranda. Dominique, accablé d'insultes et menacé du supplice qu'il faisait subir aux hérétiques, se réfugia en Hongrie auprès de Sigismond, afin de l'animer contre les hussites. Mais il y mourut bientôt, après avoir eu la gloire de faire rétracter un docteur qui prêchait, diton, le pur déisme. Il est vrai qu'il tint ce malheureux attaché pendant trois jours à un poteau, où il souffrait tellement qu'il demandait la mort comme une grâce.

Au milieu de ces troubles, Jean Ziska, muni d'une patente que, dans ses jours d'abandon, son maitre Wenceslas lui avait remise, scellée de sa main, pour l'autoriser à tenir son serment de venger la mort de Jean Huss, rassembla beaucoup de monde, et se mit à parcourir le district de Pilsen où il mit tout à feu et à sang, s'empara de la capitale, se rendit maître de toute la province, et en chassa tous les prêtres et tous les moines. Il y établit la communion sous les deux espèces, et institua prêtre l'ardent et ingénieux Coranda. Mais craignant de tomber dans quelque embuscade, il songea à se camper dans une position forte avec son armée. Il choisit pour cela le site inexpugnable de Hradistie dans la province de Béchin; et, en attendant qu'il pût y bâtir une ville, il ordonna à ses gens de dresser leurs tentes dans les endroits où ils voulaient avoir leurs maisons. Nicolas de Hussinetz, celui à qui Wenceslas avait promis une corde pour le pendre, vint l'y joindre avec sa bande. Au bout de peu de jours, il se rassembla en ce lieu quarante mille personnes de tout sexe et de tout âge, qui venaient de tous les pays environnants et surtout de Prague, et pour lesquelles trois cents tables furent dressées afin de fraterniser dans la nouvelle communion. C'est peutêtre alors que la montagne du campement fut inaugurée sous le nom mystique de Tabor qu'elle a toujours porté depuis, ainsi que la forteresse de Ziska et celle qu'on y voit encore aujourd'hui. Cette place forte a joué un rôle dans toutes les guerres de l'Allemagne, et nos armées en ont gardé le souvenir mêlé à celui de Napoléon.

A partir de ce moment, les hussites de Jean Ziska portèrent le nom de taborites, et peu à peu formèrent une secte de plus en plus tranchée, et une armée de plus en plus intrépide et redoutable.

Un historien contemporain et témoin des événements, nous a transmis le récit de cette première grande communion évangélique des hussites. «En , le jour de la SaintMichel, il s'attroupa une grande multitude de peuple dans une vaste campagne appelée les Croix (Cruces), proche de Tabor. Il en vint beaucoup de Prague, les uns à pied, les autres en chariot. Ce peuple avait été invité par maître Jacobel, maître Jean Cardinal, et maître Tocznicz. Maître Mathieu fit dresser une table sur des tonneaux vides, et donna l'eucharistie au peuple sans nul appareil. La table n'était pas couverte, et les prêtres n'avaient point d'habits sacerdotaux. Maître Coranda, curé de Pilsen, se rendit dans ce même endroit avec une grande troupe de l'un et de l'autre sexe, portant l'eucharistie. Avant que de se séparer, un gentilhomme ayant exhorté le peuple à dédommager un pauvre homme dont on avait gâté les blés, il se fit une si bonne collecte, que cet homme n'y perdit rien, car il ne se faisait aucune hostilité; les troupes marchaient avec un bâton seulement comme des pèlerins. Sur le soir, toute cette multitude partit pour Prague et arriva, à la clarté des flambeaux, devant Wisherad. Il est surprenant que dans cette occasion ils ne s'emparèrent pas de cette forteresse dont la conquête leur coûta depuis tant de sang.»

C'est avec cette piété et cette douceur que les taborites accomplirent en grand pour la première fois les rites de leur culte. Ils se donnèrent, en partant, rendezvous pour la SaintMartin suivante, mais bientôt ils furent troublés par les garnisons que Sigismond tenait toujours dans les villes et châteaux. Ceux de Tacsch, de Klattaw et de Sussicz, en approchant du lieu convenu pour une nouvelle communion, furent avertis par Coranda de prendre des armes parce qu'on leur tendait une embûche. De Knim et d'Aust, des avis furent échangés également entre les pèlerins, afin qu'ils eussent à se tenir sur leurs gardes, et ils s'envoyèrent les uns aux autres des chariots avec des gens bien armés. Mais avant que ces troupes eurent pu opérer leur jonction, elles furent attaquées par les

Impériaux, ayant à leur tête Sternberg, seigneur catholique, président de la monnaie de Cuttemberg. Ceux d'Aust furent taillés en pièces; mais ceux de Knim repoussèrent Sternberg, et le forcèrent à la fuite, après quoi ils restèrent tout le jour sur le lieu du combat, enterrant les morts d'Aust et faisant dire l'office divin par leurs prêtres. De là ils se rendirent à Prague en chantant des hymnes de victoire, et ils y furent joyeusement reçus par leurs frères. À cette occasion, Ziska écrivit une fort belle lettre ceux de Tauss, dans le district de Pilsen. Nous la rapporterons, parce que ces pièces précieuses nous font connaître les caractères historiques mieux que toutes les déclamations des écrivains. On a retrouvé celleci en , dans la maison de ville de Prague.

Note : (retour) Tauss, Taus, Tausch, Tysia ou Tusia, c'est la même ville, ou du moins le même nom. Il est impossible de trouver dans les historiens anciens un nom, même des plus importants, sur lesquels ils s'accordent. Il paraît qu'aujourd'hui encore l'orthographe germanisée des noms bohèmes n'offre guère plus de certitude. Je ne me pique d'une d'aucune exactitude pour ces noms sur lesquels rien n'a dû m'éclairer suffisamment. On sait l'indifférence de nos historiens français des derniers siècles, et le sansgêne des corruptions de la basselatinité du moyen âge pour les noms étrangers. Je croirais cependant que le véritable nom ancien de Tauss est Tusia, à cause d'une anecdote consignée dans plusieurs livres à ce sujet. La tradition rapporte qu'en l'empereur Othon er, obligeant Boleslaws, prince de Bohême, à tenir une chaudière sur le feu pour avoir commis un fratricide, et ce prince voulant s'asseoir, l'empereur lui cria: Tu sta. La légende peut être fausse, mais elle est ancienne, et le jeu de mots porte sur un nom qui était accepté alors. Cette dissertation pédante est la seule que je me permettrai: on me la pardonnera. J'avais placé le château fantastique de Riesenburg près de Tauss, dans le roman de Consuelo.

«Au vaillant capitaine et à toute la ville de Tista.Mes trèschers frères, Dieu veuille par sa grâce, que vous reveniez à votre première charité, et que, faisant de bonnes oeuvres, comme de vrais enfants de Dieu, vous persistiez en sa crainte. S'il vous a châtiés et punis, je vous prie en son nom, de ne vous pas laisser abattre par l'affliction. Ayez donc égard à ceux qui travaillent pour la foi et qui souffrent persécution de la part de nos adversaires, surtout de la part des Allemands, dont vous avez éprouvé l'extrême méchanceté à cause du nom de J.C. Imitez les anciens Bohémiens, vos ancêtres, qui étaient toujours en état de défendre la cause de Dieu et la leur propre. Pour nous, mes frères, ayant toujours devant les yeux la loi de Dieu et le bien de la république, nous devons être fort vigilants, et il faut que quiconque est capable de manier un couteau, de jeter une pierre et de porter un levier (une barre, une massue), se tienne prêt à marcher. C'est pourquoi, T. C. F., je vous donne avis que nous assemblons de tous côtés des troupes pour combattre les ennemis de la vérité et les destructeurs de notre nation; et je vous prie instamment d'avertir votre prédicateur d'exhorter le peuple dans ses sermons à la guerre contre l'Antéchrist. Et que tout le monde, jeunes et vieux, s'y dispose. Je souhaite que, quand je serai chez vous, il ne manque ni pain, ni bière, ni aliments, ni pâturages, et que vous fassiez provision de bonnes armes. C'est le temps de s'armer nonseulement contre ceux du dehors, mais aussi contre les ennemis domestiques. Souvenezvous de votre premier combat, où vous n'étiez que peu contre beaucoup de monde, et sans armes contre des gens bien armés. La main de Dieu n'est pas raccourcie; ayez bon courage et tenezvous prêts. Dieu vous fortifie.Ziska du Calice, par la divine espérance, chef des taborites. »

III.

Ziska ne commandait jusquelà que de pauvres gens du peuple. Il les exerça au métier des armes dans lequel il était consommé, et en fit d'excellents soldats. Sa forteresse de Tabor se construisait rapidement. Protégée par des rochers escarpés et par deux torrents qui en faisaient une péninsule, elle fut défendue en outre par des fossés profonds et des murailles si épaisses, qu'elles pouvaient braver toutes les machines de guerre, des tours et des remparts savamment disposés et construits avec une force cyclopéenne. Il se procura bientôt de la cavalerie, en enlevant par surprise un poste où Sigismond avait envoyé mille chevaux. Il apprit à ses gens à les monter et leur fit faire l'exercice du manège. Puis il se rendit à Prague avec quatre mille hommes qui suffirent pour y porter l'épouvante chez les uns et pour enflammer l'ardeur des autres. Les hussites de Prague leur proposèrent de détruire les forteresses et de faire serment de ne jamais recevoir Sigismond. Ziska pensa que le moment n'était pas venu, et qu'avant tout il fallait se débarrasser du clergé. D'un côté, sa haine l'y poussait; de l'autre, il songeait aux dépenses qu'une telle entreprise allait nécessiter, et il savait bien où il trouverait de quoi payer les frais de la guerre. L'impatience des taborites était extrême. Peutêtre trouvaientils que Ziska n'allait pas assez vite à leur gré, car ils parlaient encore de déposer Wenceslas, et d'élire roi un bourgeois nommé Nicolas Gansz. Pour les occuper, Ziska, qui ne voulait peutêtre pas livrer et abandonner le maître, qu'il avait servi et qui lui avait été débonnaire, leur livra le pillage des couvents, tandis que Wenceslas se retirait dans une autre forteresse à une lieue de Prague. Le monastère de SaintAmbroise et le couvent des Carmes furent dévastés et les moines chassés. Le gage de chaque victoire était l'inauguration de la communion nouvelle dans les églises. On y portait la monstrance c'estàdire l'eucharistie, dans un calice de bois, afin de contraster avec les vases d'or et les ostensoirs chargés de pierreries dont se servaient les catholiques. Ziska, à leur tête, entra dans la maison du compère prêtre qui avait abusé de sa soeur, le tua, le dépouilla de ses habits sacerdotaux et le pendit aux fenêtres.

De là ils allèrent à la maison de ville où le sénat venait de s'assembler pour prendre des mesures contre eux. Un moine prémontré, nommé Jean, nouvellement hussite, et l'un des hommes les plus terribles de cette révolution, animait la fureur populaire en promenant un tableau où était peint le calice hussitique. Le sénat répondait avec fermeté au peuple qui réclamait l'élargissement de quelques prisonniers. En ce moment, je ne sais quelle main insensée lança une pierre sur Jean le prémontré et sur sa monstrance. A cet outrage, la fureur du peuple se réveilla, on fit irruption dans le palais. Onze sénateurs prirent la fuite, et tous les autres, avec le juge et des citoyens de leur parti, furent jetés par les fenêtres et reçus en bas sur des broches et sur des fourches; le valet du juge, sans doute celui qui avait eu la malheureuse folie de jeter la pierre, fut assommé dans sa cuisine.

L'affreuse ivresse ne fut qu'exaltée par ce premier sang; on s'était promis d'abord seulement de marcher sur toutes les églises et tous les couvents, pour y renverser les autels catholiques et y instituer le nouveau culte. Si Jean Ziska avait espéré satisfaire aux exigences de son parti en leur permettant ces démonstrations, il avait compté sans ce délire funeste qui s'empare des hommes lorsqu'ils se réunissent pour faire les actes du pouvoir sans en avoir médité les droits. D'ailleurs, en assouvissant sa vengeance personnelle, il avait donné un fatal exemple. Tout fut bientôt à feu et à sang dans Prague, et Ziska, qui était cependant un guerrier patriote et un vrai capitaine devant les ennemis de son pays, se vit entraîné du premier bond dans les horreurs de la guerre civile. Les habitants hussites de la vieille ville de Prague avaient donné parole à ceux de la nouvelle de les seconder. Le massacre du sénat les effraya et ils se renfermèrent chez eux. Les égorgeurs vinrent les y assiéger; la nuit seule mit fin au combat, et depuis ce jour, les citoyens des deux villes de Prague furent toujours animés les uns contre les autres. Le lendemain, la sédition recommença. La belle chartreuse, appelée le Jardin de Marie, fut pillée. Le prieur s'était enfui. Les chartreux, entraînés, couronnés d'épines et promenés dans les rues, se virent abreuvés d'outrages. Quand on fut arrivé sur le pont de Prague, à l'endroit où Jean de Népomuck avait été noyé par ordre de Wenceslas, quelques hussites proposèrent de faire une hécatombe des chartreux; d'autres, ennemis de ces cruautés, s'y opposèrent; on se querella et on se battit de nouveau. Enfin, les chartreux furent traînés à la maison de ville de la vieille cité, d'où les magistrats les firent évader.

En apprenant ces désastres, Wenceslas ne sut qu'entrer en fureur, maltraiter ses gens et mourir d'apoplexie. Pendant qu'il écoulait les offres d'accommodement de ses conseillers lesquels étaient, comme tous les ordres du royaume, divisés d'opinion pour et contre la doctrine, son grand échanson s'avisa de dire qu'il avait bien prévu tout cela. Cette parole irrita tellement le roi, qu'il le prit par les cheveux, le jeta par terre, et allait le poignarder, lorsque ses gens réussirent à le désarmer. Il tomba dans leurs bras, frappé de congestion cérébrale; dixhuit jours après, il mourut en jetant de grands cris et rugissant comme un lion.

Tous les historiens du temps représentent cet empereur comme un Sardanapale, un Thersite et un Copronime. Ils l'accusent d'avoir souillé les fonts baptismaux et l'autel sur lequel il fut couronné, étant enfant, présage de l'impureté de sa vie et de l'ignominie de son règne. «On peut dire de lui ce que Salluste dit de beaucoup de gens, qu'ils sont adonnés à leur ventre et au sommeil; dont le corps est esclave de la volupté, à qui l'âme est à charge et dont on ne peut pas plus estimer la vie que la mort.» On prétend qu'un de ses cuisiniers lui ayant refusé à manger, sans doute par ordre du médecin, il le fit embrocher et rôtir; qu'il aimait passionnément son chien, parce qu'il mordait tout le monde; qu'il avait toujours un bourreau à ses côtés et qu'il l'appelait son compère, ayant tenu son enfant sur les fonts du baptême. Il fit jeter dans la rivière un docteur en théologie, pour avoir dit qu'il n'y a de vrai roi que celui qui règne bien.

Note : (retour) Cochlée.

Cette belle parole de Jean de Népomuck (car c'est de lui certainement qu'il s'agit ici), et plusieurs autres aperçus de son caractère, m'ont fait croire que, s'il eût vécu jusqu'à l'époque de la prédication et du procès de Jean Huss, il eût embrassé sa doctrine et partagé son sort. Sa canonisation n'eut lieu qu'au dixseptième siècle, et ce fut sans doute pour l'université du Prague une de ces politesses que l'Église adresse de temps en temps à certains ordres ou à certains corps pour leur faire sa cour. On sait comment fut débattue et octroyée la canonisation de saint François d'Assises, le grand hérétique du joannisme et le véritable auteur de toutes les sectes qui se rattachent au paupérisme de l'Évangile éternel. A quoi tiennent dans le ciel les entrées de faveur!

Wenceslas mourut sans enfants. On dit qu'il avait été frappé de stérilité par les enchantements et le poison. Il ne fut regretté de personne. Les catholiques l'avaient vu trembler et faiblir devant les menaces des hussites. Ceuxci savaient qu'il avait fait tout dernièrement la liste de ceux d'entre eux qu'il voulait faire mourir, et qu'en feignant de les favoriser, il ne cessait d'écrire à son frère Sigismond pour qu'il vint le tirer de leurs mains. Il était donc, avec sa peur et sa paresse, le principal brandon de la guerre civile; car tandis qu'il laissait égorger les magistrats de Prague et ouvrait les temples catholiques aux sectaires, il appelait Sigismond et livrait aux Allemands les hussites des provinces.

Son cadavre subit l'expiation du supplice de Népomucène, à laquelle il avait échappé durant sa vie. Inhumé dans la basilique de la cour royale où était la sépulture des rois de Bohême, il fut déterré peu de temps après et jeté dans la Moldaw par les taborites. Mais comme une singulière destinée lui avait toujours fait trouver son salut dans l'eau, il fut repêché et reconnu par un marchand de poisson qui lui avait été attaché comme fournisseur. Le royal cadavre fut caché dans la maison du pêcheur, et revendu, par la suite, à sa famille pour vingt ducats d'or.

La mort de Wenceslas fut suivie d'un long interrègne, durant lequel le terrible et vaillant borgne de Tabor fut de fait l'unique souverain de la Bohème.

IV.

Sophie de Bavière, veuve de Wenceslas, s'étant vainement adressée à Sigismond, qui avait bien assez à faire de combattre les Turcs sur ses terres de Hongrie, se renferma du mieux qu'elle put dans le fort de SaintWenceslas, situé dans le PetitCôté de Prague, sur la rive gauche de la Moldaw. La vieille et la nouvelle ville de Prague, ainsi que la forteresse de Wisrhad, dont il sera souvent question dans cette histoire, sont situées sur la rive droite. On sait déjà que, malgré des dissidences d'opinion et de fréquents démêlés, ces deux villes étaient hussites. Le Petit Côté, qui contenait le château des rois de Bohême, et où la cour, le haut clergé et les principaux dignitaires faisaient leur résidence, était resté attaché au parti catholique.

Note : (retour) Wieserhad ou Wischerad.
Sophie, effrayée de son abandon et de l'agitation croissante des esprits, résolut de tenter un coup hardi: elle rassembla quelques troupes, sortit secrètement de la ville avec un seigneur de Schwamberg, et alla attaquer à l'improviste le redoutable Ziska, dans le district de Pilsen. Ziska n'avait avec lui, en cet instant, qu'une petite troupe de taborites, avec leurs femmes et leurs enfants, qui les suivaient partout. Réfugié sur une colline où il n'y avait que pierres et broussailles, et que la cavalerie de la reine ne pouvait gravir sans mettre pied à terre, il n'attendait pourtant pas sans inquiétude l'issue d'un combat où il se voyait entouré de tous côtés. Les femmes des taborites le sauvèrent par un stratagème singulier: aux approches de la nuit, elles étendirent leurs robes et leurs voiles dans les broussailles, où les Impériaux devaient s'engager tout bottés et éperonnés. Dès qu'ils eurent laissé leurs chevaux au bas de la colline, et qu'ils eurent fait quelques pas dans ces filets, ils s'y embarrassèrent si bien les pieds, qu'ils ne purent avancer ni reculer; et, tandis qu'ils essayaient de se dépêtrer, Ziska fondit sur eux, et les tailla en pièces. La reine et son général prirent la fuite, à la faveur de là nuit.

En attendant que Sigismond put s'attaquer en personne à l'audacieuse insurrection des hussites, Ziska, poursuivant son oeuvre, détruisit ou fit détruire par les nombreuses bandes de ses adhérents presque toutes les églises conventuelles et les monastères de la Bohême. On compte cinq cent cinquante de ces édifices dont il ne laissa pas pierre sur pierre. Les historiens catholiques ne tarissent pas en gémissements sur les funestes résultats de cette dévastation. Les pompeuses descriptions qu'il nous ont laissées de ces sanctuaires du luxe et de la paresse expliquent assez la rage d'un peuple laborieux et pauvre, et qui avait vu prélever sur son travail et sur ses besoins l'impôt exorbitant du clergé. Le monastère de la Cour royale, à Prague, avait sept chapelles, dont chacune était de la grandeur d'une église. Autour du jardin, on pouvait lire l'Écriture sainte sur les murailles, en majuscules, sur de belles planches, et les lettres grossissant toujours, à proportion de la hauteur de la muraille. Mais rien n'approchait de la magnificence des Bénédictins d'Opalowitz.

Leur couvent avait été fondé par Wratislas, premier roi de Bohème, au onzième siècle, et l'on n'y recevait que des personnes riches, à la condition qu'elles y apporteraient tous leurs biens. Il y avait là un certain trésor qui, depuis longtemps, alléchait ces vieux burgraves de l'intérieur, dont nous avons déjà parlé, brigands qui, sous prétexte de guerre ou de religion, avaient toujours flairé, et maintenant essayaient pour leur compte la conquête des couvents. Celuilà était le rêve d'un certain pillard, nommé Jean Miesteczki, qui ne cessait de rôder autour, attiré par la merveilleuse aventure de Charles IV, dont le pays avait gardé souvenance. Bien que cette chronique soit une digression, fidèle à notre amour pour cette partie de l'histoire que nous appelons le coloris, nous la raconterons à nos lectrices. Des auteurs plus graves que nous l'ont consignée en latin.

Un jour de l'année , l'empereur Charles, étant à la chasse, disparut avec deux de ses écuyers et ne rejoignit ses compagnons que le soir à Koemgsgratz. L'empereur se mit à table, ne répondit que par un sourire à ceux que son absence avait effrayés, et se contenta de leur dire qu'un serment épouvantable l'empêchait de s'expliquer sur sa disparition mystérieuse. Cependant on remarqua que l'empereur avait au doigt une bague d'une forme antique, où était enchâssé un diamant tel, que le trésor impérial n'en avait jamais possédé d'aussi précieux.

On admira ce joyau, on se perdit en commentaires. L'empereur mourait d'envie de parler. Enfin, lorsque le bon vin l'eut rendu plus communicatif, il réfléchit un peu, déclara qu'il pouvait raconter son aventure avec certaines restrictions, sans violer son serment, et se décida à rapporter ce qui suit.

Il était entré dans un monastère pour s'y reposer, et il avait été fort bien reçu et régalé à merveille par l'abbé, qui le prenait pour un seigneur de la cour. Après le repas, pressé de dire son nom, il avait promis de le faire dans l'église seulement, en présence des deux plus anciens moines et de l'abbé. Celuici ayant choisi ceux en qui il avait le plus de confiance, et ayant conduit l'empereur dans l'église, l'empereur se nomma et leur déclara que le désir de voir leur trésor l'avait amené chez eux. Il leur engagea en même temps sa foi d'empereur des Romains qu'il n'en prendrait rien, et ne souffrirait jamais qu'on leur en prît la moindre chose. L'abbé, à ces paroles, fut saisi d'une grande frayeur, se retira à l'écart, et, après avoir délibéré longuement avec ses deux moines, il répondit au monarque: «Trèsclément souverain, nous vous dirons que des soixante religieux que nous sommes ici, il n'y a que nous trois qui ayons connaissance du trésor. Quand il en meurt un des trois, on confie le secret à un autre, et nous sommes de serment de n'ouvrir le trésor à âme vivante. D'ailleurs, l'accès en est fort dangereux et ne convient point à Votre Majesté.»

L'empereur demanda qu'ils l'associassent, lui quatrième, à la prestation du serment et à la connaissance du trésor. Les moines inquiets délibérèrent encore; et, n'osant ni refuser, ni consentir, lui proposèrent de deux choses l'une, ou de voir le trésor sans voir le lieu, ou de voir le lieu sans voir le trésor.

Montrezmoi seulement le trésor, dit l'empereur, et je serai content.

Il faut donc, dirent les moines, que vous vous abandonniez à notre conduite.

Mes chers pères, dit l'empereur, ma vie est entre vos mains.

Làdessus, ils prennent l'empereur par la main, le mènent dans un enclos obscur (conclave), pavé de briques, allument deux cierges, lui mettent un capuchon baissé sur la tête, de sorte qu'il ne pouvait voir que ce qui était à ses pieds; ensuite les moines ayant levé quelques briques, il aperçut confusément une caverne trèsprofonde où il lui fallait descendre. Quand il fut arrivé en bas, les moines le tournèrent et le retournèrent jusqu'à ce qu'il en fût étourdi. Alors ils le conduisirent dans une cave souterraine longue de deux rues. Enfin ils lui ôtèrent son capuchon et le menèrent dans une chambre pleine d'argent en lingots, d'or en barres, de croix, de paix (pacificalia), et d'autres ornements d'église enrichis de pierreries, et quantité d'autres joyaux.

«Sire, dit alors l'abbé, tous ces trésors sont à vous; nous les gardions pour Votre Majesté. Daignez en prendre tout ce qu'il vous plaira.

Dieu me préserve, répondit Charles, de toucher aux biens ecclésiastiques!

Il ne sera pas dit, répliqua l'abbé, que Votre Majesté s'en retourne d'ici les mains vides.»

Et il lui mit au doigt la bague, qu'en achevant ce récit l'empereur montrait à ses compagnons de chasse, sans vouloir leur indiquer ni le nom ni la situation du monastère. Il s'estimait peutêtre heureux d'en être sorti, et on l'approuva fort, sans doute, d'avoir refusé les offres insidieuses de l'abbé, lorsque pour l'éprouver celuici lui avait dit: Tout cela est à vous. Parole de moine! Si l'empereur l'eût pris au mot, il est douteux qu'il eût remonté l'escalier. Quoi qu'il en soit, ses courtisans eurent bientôt appris des écuyers qui l'avaient accompagné, qu'il s'agissait du trésor des Bénédictins d'Opatowitz, et de cette façon «la mine fut éventée.»

La suite de l'histoire de ce trésor montre à quel point les moines tenaient à ces inutiles richesses. Un demisiècle après l'aventure de Charles IV, le couvent d'Opatowitz en éprouva une plus tragique à la même occasion. Jean Miesteczki, profitant des ravages de Ziska pour s'enrichir aussi de son côté, arriva sur le soir, à cheval, avec deux de ses compagnons, sous prétexte de rendre ses devoirs à l'abbé, qui s'appelait Pierre Laczur. Le brigand fut bien reçu et bien traité. Mais au milieu du souper, il en vint comme par hasard deux autres, et puis trois, et puis enfin toute la bande, qui tomba sur les moines et en tua un bon nombre. Pendant cette exécution, Miesteczki s'emparait de l'abbé et lui commandait le poignard sur la gorge de lui révéler le secret du couvent. Les vieux moines se laissèrent maltraiter cruellement et gardèrent le silence. Le malheureux abbé fut mis à la torture et ne révéla rien. Il en mourut peu de jours après, emportant son secret dans la tombe. Les historiens catholiques du temps en font un martyr. Quant à Miesteczki, il n'emporta de son expédition que les vases sacrés, la cassette particulière de l'abbé, et autres bribes dont il acheta le château et la ville d'Opokzno. Puis, pour racheter son âme de ce sacrilège, il fit une rude guerre aux hussites, qui pendirent son drapeau à un gibet de Prague. Plus tard, assiégé par eux dans Chrudim, il se fit hussite pour avoir la vie sauve, et ravagea encore les couvents avec eux, le métier étant fort de son goût. Enfin il rentra en grâce avec Sigismond après toutes ces aventures, et mourut peutêtre en odeur de sainteté. Les Bénédictins d'Opatowitz furent repris et repillés par les Taborites. On ne dit pas si ceuxlà trouvèrent le trésor. Peutêtre existetil encore sous quelque ruine aux entrailles de la terre.

Puisque nous consacrons ce chapitre aux épisodes ainsi que notre auteur, qui en rapporte bien d'autres plus hors de saison, nous finirons par celle de Puchnick, évêque de Prague, mort avant la prédication de Jean Huss. Wenceslas, qui était fort railleur, le fit appeler un jour et lui commanda de prendre dans son trésor autant d'or qu'il en pourrait emporter sur lui. Le prélat, moins discret et moins prudent que Charles IV ne l'avait été chez les Bénédictins d'Opatowitz, remplit tellement ses poches, sa robe et ses bottines, qu'il ne put faire un pas pour s'en aller, et resta planté comme une statue devant l'ivrogne couronné, qui riait à faire écrouler les voûtes de son palais. Quand il eut fini de rire, Puchnick fut déchargé de son butin jusqu'à la dernière obole, et renvoyé honteusement aux huées des serviteurs. Telles étaient les moeurs du temps et les manières de la cour. L'avarice du clergé de Bohème était devenue proverbiale. Le peuple comparait les moines à des animaux immondes auxquels les couvents servaient d'étables. Il en fit justice avec la brutalité et la férocité qu'on retrouve au moyen âge chez tous les peuples, dans toutes les classes, et sous l'inspiration de toutes les idées religieuses. On brisa les images et les statues des saints; on leur coupa le nez et les oreilles, et on les jeta dans les rues et sur les chemins pour qu'elles fussent foulées aux pieds par les passants. On voit là plus de fanatisme que d'avarice; car bien des choses d'un grand prix furent perdues, entre autres des objets d'art et des manuscrits plus regrettables que les lingots d'or et d'argent des monastères. Ziska s'emparait de ces dernières dépouilles et les faisait porter à Tabor, où elles étaient scrupuleusement consacrées à l'édification de la ville et des fortifications, ainsi qu'à l'entretien des troupes et de leurs familles. Il ne se réservait que quelques jambons et viandes fumées, qu'il appelait ses toiles d'araignées parce qu'on les balayait aux murailles des réfectoires. Malheureusement, la vengeance ne se bornait pas là. Les moines et les religieuses étaient traités comme les statues de leurs saints, et livrés à toutes les tortures, à toutes les ignominies. Nous passerons rapidement sur ces détails, qui font frissonner. En l'année , les Taborites détruisirent, seulement à Prague, quatorze de ces communautés. Ils n'épargnèrent que celle des Bénédictins esclavons, qui se déclara pour la doctrine de Jean Huss, et dont l'abbé alla audevant d'eux leur offrir la communion sous les deux espèces. Ils la reçurent chargés et entourés de leurs arcs, hallebardes, massues, scorpions et catapultes. Ces Bénédictins étaient de ceux qui avaient obtenu, sous Charles IV, le privilège de dire les offices en langue slave, ce qui était un acheminement vers le schisme; et, comme la fondation de leur maison était contemporaine de celle de l'Université de Prague, on peut croire qu'ils avaient toujours penché vers ces mêmes idées d'indépendance et de réforme. Ils n'avaient certainement pas trempé dans les accusations que le clergé de Bohème porta contre Jean Huss et Jérôme au concile de Constance; car on ne fit grâce à aucun de ceuxlà, et jamais supplice ne fut vengé avec autant d'éclat que celui de ces deux hommes illustres.

Note : (retour) M. Lenfant Histoire du Concile de Bâle.

V.

Les seigneurs de Rosemberg avaient embrassé le hussitisme avec ferveur, et l'un d'eux s'était montré ardent à venger le supplice de Jean Huss. Mais ses promesses échouèrent devant les séductions de Sigismond. Il devint l'ennemi le plus haï et le plus méprisé des Taborites, et, dès le commencement de , Ziska tomba du haut de son Tabor, comme un torrent des montagnes, sur la ville d'Aust, qui était située presque sous ses pieds, et qui appartenait à Rosemberg. On était au carnaval, et après ces soirées de débauche, les habitants dormaient si profondément, qu'ils furent pris et massacrés en sursaut. Tous furent passés au fil de l'épée. Leurs maisons rasées disparurent du sol. Ce nid de papistes offusquait la vue de Ziska. Il en fit un champ de blé.

Ulric de Rosemberg, proche parent de celuilà, et que les historiens du temps appellent de Roses (Rosensis), resta attaché encore quelque temps au parti de Jean Ziska. Nous prenons note de lui pour qu'on ne le confonde pas avec le premier, qui fut assommé à coups de fléaux par les Taborites, puis coupé par morceaux et jeté au feu.

Ziska détruisit et massacra encore, au commencement de cette année , une douzaine de communautés religieuses. Coranda l'accompagnait dans ces farouches expéditions. Hyneck Krussina, homme de tête et de main, imitant le zèle de Ziska, réunit, sur une montagne de Cuttemberg qu'il baptisa Oreb, des troupes de paysans qui prirent le nom d'Orébites. Les Taborites et les Orébites fraternisèrent dans les combats et communièrent ensemble sur les champs de bataille. En cas de danger, ils convinrent de se donner toujours avis et de se secourir mutuellement. En attendant la guerre du dehors, qui était imminente, ils se tinrent en haleine en détruisant ces moines que Ziska appelait les ennemis domestiques.

Au milieu de ces événements, Ziska devint aveugle. Comme il assiégeait la forteresse de Raby, il monta sur un arbre afin de voir et d'encourager ses gens. Une bombarde, en passant près de lui et en fracassant les branches, lui fit sauter un petit éclat de bois dans l'oeil, le seul qui lui restât. La forteresse n'en fut pas moins emportée d'assaut et réduite en cendres; puis Ziska alla se faire panser à Prague, et peu de temps après il rentra en campagne, privé entièrement et à jamais de la vue.

Il ne faut pas croire que cette guerre aux moines fut sans fatigues et sans dangers. Presque tous ces monastères étaient fortifiés; et les abbés, quand ils ne pouvaient pas compter sur leurs vassaux, appelaient les corps d'Impériaux pour les défendre. Quelquefois même on voyait des paysans ou des ouvriers prendre parti contre les Taborites, à cause de quelque privilège agricole ou industriel qu'ils voulaient conserver. Les mineurs de Cuttemberg, qui étaient Allemands pour la plupart, haïssaient tellement les Orébites, qu'ils les guettaient au passage dans les passes étroites de leurs montagnes, les chassaient comme des bêtes fauves avec des chiens dressés à cet usage, et les précipitaient dans les mines après les avoir forcés à la course. On dit que six mille Hussites furent entassés dans une de ces cavernes.

Note : (retour) Dans le BoehmerWald, à la frontière bavaroise.

L'assentiment des masses à l'oeuvre terrible de Ziska fut donc plus d'une fois traversé par des intérêts particuliers. Lorsque la bande affamée des sombres Taborites s'abattait sur quelque terre privilégiée par l'empereur, ou récemment conquise par le brigandage, ils pouvaient bien être reçus à coups de fléaux et de fourches par les nombreux occupants. Le système de Ziska était évidemment de ruiner le pays, afin d'organiser contre Sigismond une guerre de partisans implacable et meurtrière; et, s'il est permis de reconstruire, par conjecture, le plan d'un homme dont l'existence historique est environnée d'obscurités et de calomnies, on peut, et on doit attribuer à ce plan même la destruction systématique de tous les couvents et de tout le clergé de Bohème par Ziska, sans recourir à ses motifs de vengeance personnelle. En effet, Ziska voulaitil autre chose qu'une guerre pour l'indépendance nationale contre la race allemande? S'il la voulait, pouvaitil ne pas la considérer comme une entreprise désespérée à laquelle il fallait se préparer par tous les moyens et tous les sacrifices? Cette guerre nationale n'eût jamais été possible avec l'existence de cette population monacale, ramassis de transfuges et d'enfants perdus de toutes les nations, qui, après des velléités d'indépendance, avait fait sa paix avec le concile de Constance, en lui jurant soumission sur les cendres de Jean Huss. Ziska trouva dans l'enthousiasme des Taborites l'élément et la révélation du succès. L'amour de la patrie ne suffisait pas pour engager, tout d'un coup, le prolétaire bohème à s'armer, à brûler sa chaumière, à emmener sa femme et ses enfants à travers un pays désolé, pour aller se planter avec eux sur la brèche d'un fort, et y mourir de faim ou percé de coups en défendant son drapeau national. Le fanatisme avait, pour cette héroïque défense, pour cet austère détachement des lares domestiques, pour cette vie dure et errante, enfin pour cette résolution positive de vaincre ou de mourir, des forces que l'orgueil national n'avait déjà plus après le règne brillant et fort de Charles IV. La vie de Ziska n'est pas celle d'un vaillant capitaine seulement; c'est celle d'un politique consommé; du moins nous le croyons, et nous espérons bien le prouver, quoiqu'il n'ait pas laissé de meilleure réputation que celle d'un vaillant homme de guerre. Aussi distinguatil d'emblée, non le parti auquel il devait se ranger, mais celui qu'il devait se créer; et, tandis que les Hussites de Prague péroraient sur leurs quatre articles, sans trouver en euxmêmes la force de chasser la reine et les Impériaux, Ziska, appelant à lui, de tous les points, les plus braves et les plus ardents, avait organisé d'emblée un corps d'armée formidable, en même temps qu'un parti audacieux, aveuglément dévoué à son inspiration militaire, et sans cesse inspiré luimême dans son rêve d'indépendance politique par une liberté d'examen religieux qui ne connaissait pas de limites humaines. Aussi le rocher de Tabor devintil, comme par magie, le centre de la Bohème. C'était l'autel où le feu sacré ne mourait point; l'antre d'où sortaient, dans le danger, des légions de sombres archanges ou d'impitoyables démons; le paradis mystique où, dans les heures de repos, on allait essayer la réalisation d'une vie de communauté et d'égalité parfaite. Ziska, en pillant les monastères, savait donc bien ce qu'il faisait. Il avait une armée à faire vivre, et cette armée représentait pour lui la Bohème, puisqu'elle était la gardienne de toute liberté et de toute unité nationale. Il comptait sur une guerre qui devait durer, et qui dura effectivement plusieurs années. Il y avait dans les richesses des couvents de quoi entretenir cette armée tout le temps nécessaire; et, en même temps qu'il s'assurait des ressources considérables, il privait l'ennemi de ces mêmes ressources. La conduite de Sigismond prouva bientôt que Ziska ne s'était pas trompé en prévoyant que l'empereur apostolique pillerait les couvents et les églises pour subvenir à ses dépenses, avec aussi peu de scrupule que les hérétiques le faisaient de leur côté. Aussi Ziska ne perditil pas de temps pour lui ôter cet avantage. Les burgraves, en mettant la main à l'oeuvre avant lui, et en s'enrichissant des dépouilles du clergé, les uns pour satisfaire leur avarice ou leur prodigalité, les autres pour les offrir à Sigismond et acheter par là sa faveur, montrèrent bien à Ziska qu'il n'y avait pas à hésiter, et que tout acte de pitié ou de désintéressement tournerait à la perte de la Bohème. Les Taborites, poussés par une fureur religieuse, ne comprenaient peutêtre pas la pensée politique de leur chef. Ils avaient réellement soif du sang des moines et des prêtres qui avaient dénoncé l'hérésie à Rome, et qui, mourant pour la plupart avec un courage héroïque, les menaçaient, jusque dans les tortures, des foudres du pape, du glaive de l'empereur, et des bûchers de l'inquisition. C'était donc une guerre à mort entre les deux doctrines; et, en supposant Ziska moins féroce que ses partisans (ce qui serait, je l'avoue, une supposition bien hasardée), il eût perdu tout ascendant sur ses anges exterminateurs, comme il les appelait, s'il se fût opposé à leurs cruautés. Il ne faut pas oublier que Ziska, absorbé dans des préoccupations toutes militaires, s'inquiétait peu, au fond, de la doctrine; qu'il persistait à se dire calixtin pour conserver son ascendant sur le justemilieu hussite, qui était le parti le plus nombreux, sinon le plus énergique du moment; enfin, qu'il avait à se maintenir puissant sur toutes les nuances du hussitisme, et qu'il y parvint en tolérant tous les excès, sans vouloir précisément accepter la responsabilité de ceux mêmes où il avait trempé le plus activement. Nous n'alléguons pas ces motifs pour excuser les crimes qui furent commis par Ziska contre l'humanité. Mais on ne l'a pas accusé de ceuxlà seulement, et il faut répéter souvent qu'au moyen âge, ces sortes de crimes, qui, Dieu merci, nous paraissent injustifiables aujourd'hui, n'avaient pas dans l'esprit des hommes la même importance. L'Église avait donné l'exemple. Elle, la gardienne des charitables et miséricordieuses inspirations du christianisme, la loi suprême, la justice idéale proclamée souveraine de toutes les justices matérielles des pouvoirs constitués, elle avait allumé les bûchers, inventé les tortures, proclamé la croisade contre les dissidents. Les moralistes de l'Église auraient donc eu bien mauvaise grâce à reprocher à Ziska le crime de lèsehumanité. Aussi les historiens catholiques ontils tenté de lui imputer des crimes de lèsepatriotisme, pensant que le premier ne le rendrait pas assez odieux à la postérité. Ils ont insisté sur son vandalisme, sur la ruine des monuments et des bibliothèques, la gloire et la lumière du pays. Je crois qu'il est des époques où ces actes de vandalisme sont plus que justifiables, et on les a comparés souvent à la résolution du capitaine de navire qui fait jeter à la mer les richesses de sa cargaison pour sauver son équipage dans la tempête. Je viens de prouver que, sans cette dévastation, les Bohémiens n'eussent pu résister six mois à l'ennemi. On verra que, grâce à elle, ils lui résistèrent pendant quatorze ans avec une énergie et des ressources incroyables.

Note : (retour) On verra plus tard quelle était cette formule politique et religieuse du justemilieu hussite.

Mais il est une autre accusation grave qui pèse sur Ziska, et qu'il faut encore examiner. Afin de le peindre comme le chef infâme d'une poignée de scélérats, afin de lui ôter son caractère terrible, et pourtant sacré, de chef du peuple et de représentant de sa patrie, on l'a montré, surtout dans les premiers temps de son entreprise, portant l'épouvante et la désolation chez ses propres compatriotes, chez ses coreligionnaires; on a affecté de peindre la haine et la terreur de certaines provinces qui résistèrent d'abord à son impulsion, et qu'il n'entraîna que par la violence. Ses apologistes ont vainement essayé de nier ou d'atténuer ses ravages dans les champs de la Bohême: nous les croyons certains, mais nous les comprenons ainsi:

Il ne s'agissait pas seulement pour Ziska de faire la guerre aux armées de Sigismond; il fallait la faire d'abord aux partisans de la monarchie, aux courtisans de la domination étrangère; et des populations entières, celles qui jouissaient, comme nous l'avons dit plus haut, de certains bénéfices de conquête on de certains privilèges agricoles et industriels, faisaient cause commune avec leurs seigneurs catholiques. Il y a plus: dans les premiers temps de l'insurrection, les paysans ne comprirent pas la mission des Taborites, et voulurent rester dans l'inaction. Quelque pauvre et accablé que soit le mercenaire, quelque humilié que soit le serf, on ne le surprend pas toujours dans une velléité de révolte et de courage. L'esclave s'habitue à sa chaîne, l'indigent aime son toit de chaume, et la crainte d'être plus mal l'empêche souvent de désirer mieux. Les prêtres taborites arrivaient dans les campagnes, prêchant la parole du Christ à ses disciples: «Levezvous, quittez vos filets, et suivezmoi.» Ziska ajouta en vrai condottiere: «Cédez vos huttes, votre vaisselle de terre, votre maigre repas, et le bétail dont on vous a confié la garde, et les armes dont on vous a munis contre nous, à mes soldats, à mes enfants; car ils sont l'épée flamboyante de l'ange, ils sont la trompette du jugement dernier. Ils viennent pour punir vos maîtres et briser votre joug. Vous leur devez secours et assistance, amour et respect.» Le serf était souvent sourd à ce langage, et répondait: «Si vous venez de la part de Dieu, respectez au moins le prochain. Vous nous compromettez auprès de nos maîtres; vous nous ruinez. Vous êtes trop nombreux pour vivre de notre pain; vous ne l'êtes pas assez pour nous défendre quand les prêtres et les seigneurs viendront nous accabler. Retirezvous, ou bien nous nous défendrons, nous vous traiterons comme des brigands.»

De là des luttes sanglantes; des villages, des villes mêmes qui n'avaient pas reçu les troupes impériales et qui n'avaient pas fait profession de foi catholique, furent réduites en cendres, horriblement saccagées et les habiants massacrés, parce qu'ils avaient refusé de marcher à la défense du pays. Ces terribles exécutions militaires assurèrent les desseins de Ziska. Tous les récalcitrants énergiques furent anéantis. Tous ceux qui se rendirent grossirent l'armée taborite. Ruinés, détachés de tout lien avec l'ancienne société, réduits à errer en mendiants sur une terre dévastée, ils n'eurent plus d'autre refuge que Tabor, celle cité étrange où, après avoir accompli des oeuvres de sang, une société nouvelle se retirait pour prier avec enthousiasme, et pour pratiquer avec une sainte ferveur la loi d'une égalité fraternelle et d'une communauté idéale. «La maison est brûlée, disait Ziska, mais le temple est ouvert. La famille est dispersée par le glaive, qu'elle se reforme sous la parole de Dieu. Ici les veuves trouveront de nouveaux époux, et les orphelins des pères plus sages et des appuis plus sûrs que ceux qu'ils ont perdus.» C'est ainsi que, de gré ou de force, il entraîna les populations à sa suite. Il commençait par leur envoyer ses prêtres, et quand leur prédication avait échoué, il arrivait avec ses implacables sommations et ses sentences vengeresses. En peu de temps l'agriculture fut détruite, l'industrie paralysée; les champs devinrent stériles, les bourgades où l'ennemi eût pu se reposer des monceaux de ruines, les bois et les montagnes peuplés d'invisibles défenseurs, chaque buisson du chemin une lanière pour le partisan aux aguets. Les seigneurs catholiques n'osaient plus sortir de leurs châteaux. Les garnisons impériales se tenaient muettes et consternées derrière leurs remparts. Prague et les villes royales se demandaient avec effroi ce qu'elles allaient devenir, et se perdaient, en discussions Idéologiques, ou en propositions d'accommodement avec la couronne sans oser se défendre. La Bohême était ruinée. Sigismond riait de sa détresse et ne se pressait pas d'arriver, pensant que les divers partis allaient lui aplanir le chemin en s'entredévorant. Mais Tabor était riche, Tabor se fortifiait. L'armée de Tabor grossissait tous les jours et s'endurcissait au métier des armes. Et quand le justemilieu se plaignait à Ziska du dommage qu'il lui avait causé, Ziska montrait Tabor et disait: «Le salut est là, faitesvous Taborites. Vous ne voulez pas souffrir, vous autres? Nous voulons bien combattre pour vous; mais le moins qu'il en puisse arriver, c'est que votre repos et votre bienêtre en soient un peu troublés. Faites comme nous, ou laisseznous faire.»

Tel fut le rôle de Ziska. Un temps arriva où tous le comprirent et plièrent sous sa volonté, fanatiques et tièdes, Taborites et Calixtins. Mais n'anticipons pas sur les événements, et suivons un peu la marche des premières luttes.

VI.

Les habitants des villes de Prague s'intitulaient, pour la plupart, Calixtins; à Rome on les appelait par dérision Hussites clochants, parce qu'ils avaient abandonné Jean Huss en plusieurs choses; à Tabor on les appelait faux Hussites, parce qu'ils se tenaient à la lettre de Jean Huss et de Wickieff plus qu'à l'esprit de leur prédication. Quant à eux, Calixtins, ils s'intitulaient Hussites purs. En ils avaient formulé leur doctrine en quatre articles: ° la communion sous les deux espèces; ° la libre prédication de la parole de Dieu; ° la punition des péchés publics; la confiscation des biens du clergé et l'abrogation de tous ses pouvoirs et privilèges.

Note : (retour) Ces quatre articles étaient une profession plus politique que religieuse. Les trois articles relatifs en apparence à la religion ne sont qu'une attaque de lui contre le pouvoir temporel et la richesse du clergé. Celui qui reclame la punition des péchés publics ne tend qu'à remettre les causes judiciaires et la répression des attaques contre la société nationale aux mains de magistrats élus par la nation, et non aux délègues en prince de de l'Eglise.

Ils envoyèrent une députation à Tabor pour aviser aux moyens de se débarrasser de la reine qui, avec quelques troupes, tenait encore le PetitCôté de Prague. On a conservé textuellement la réponse des Taborites à cette députation. «Nous vous plaignons de n'avoir pas la liberté de communier sous les deux espèces, parce que vous êtes commandés par deux forteresses. Si vous voulez sincèrement accepter notre secours, nous irons les démolir, nous abolirons le gouvernement monarchique, et nous ferons de la Bohème une république.» Il me semble qu'il ne faut pas commenter longuement cette réponse pour voir que le rétablissement de la coupe n'était pas une vaine subtilité, ni le stupide engouement d'un fanatisme barbare, comme on le croit communément, mais le signe et la formule d'une révolution fondamentale dans la société constituée.

La proposition fut acceptée. Le fort de Wishrad fut emporté d'assaut. De là, commandés par Ziska, les Praguois et les Taborites allèrent assiéger le PetitCôté. Il y avait peu de temps qu'on faisait usage en Bohème des bombardes. Les assiégés portaient, à l'aide de ces machines de guerre, la terreur dans les rangs des Hussites. Mais les Taborites avaient appris à compter sur leurs bras et sur leur audace. Ils forcèrent le pont qui était défendu par un fort appelé la Maison de Saxe (Saxen Hausen) et posèrent le siège, au milieu de la nuit, devant le fort de SaintWenceslas. La reine prit la fuite. Un renfort d'Impériaux, qui était arrivé secrètement, défendit la forteresse. Le combat fut acharné. Les Hussites étaient maîtres de toute la ville; encore un peu, et la dernière force de Sigismond dans Prague, le fort de Saint Wenceslas, allait lui échapper. Mais les grands du royaume intervinrent, et, usant de leur ascendant accoutumé sur les Hussites de

Prague, les firent consentir à une trêve de quatre mois. Il fut convenu que pendant cet armistice les cultes seraient libres de part et d'autre, le clergé e les propriétés respectés, enfin que Ziska restituerai Pilsen et ses autres conquêtes.

Ziska quitta la ville avec ses Taborites, résolu à ne point observer ce traité insensé. Le sénat de Prague reprit ses fonctions; mais les catholiques qui s'étaient enfuis durant le combat n'osèrent rentrer, craignant la haine du peuple: Sigismond écrivit des menaces; Ziska reprit ses courses et ses ravages dans les provinces.

La reine ayant rejoint son beaufrère Sigismond à Brunn en Moravie, ils convoquèrent une diète des prélats et des seigneurs, et écrivirent aux Praguois de venir traiter. La noblesse morave avait reçu l'empereur avec acclamations. Les députés hussites arrivèrent et communiérent ostensiblement sous les deux espèces, dans la ville, qui fut mise en interdit, c'estàdire privée de sacrements tout le temps qu'ils y demeurèrent, étant considérée par le clergé papiste comme souillée et empestée. Puis ils présentèrent leur requête, c'estàdire leurs quatre articles, à Sigismond qui se moqua d'eux. Mes chers Bohémiens, leur ditil, laissez cela à part, ce n'est point ici un concile. Puis il leur donna ses conditions par écrit: qu'ils eussent à ôter les chaînes et les barricades des rues de Prague, et à porter les barres et les colonnes dans la forteresse; qu'ils abattissent tous les retranchements qu'ils avaient dressés devant SaintWenceslas; qu'ils reçussent ses troupes et ses gouverneurs; enfin qu'ils fissent une soumission complète, moyennant quoi il leur accorderait amnistie générale et les gouvernerait à la façon de l'empereur son père, et non autrement.

Les députés rentrèrent tristement à Prague et lurent cette sommation au sénat. Les esprits étaient abattus, Ziska n'était plus là. Les catholiques s'agitaient et menaçaient. On exécuta de point en point les ordres de Sigismond. Les chanoines, curés, moines et prêtres rentrèrent en triomphe, protégés par les soldats impériaux.

Ceux des Hussites qui n'avaient pas pris part à ces làchetés sortirent de Prague, et se rendirent tous à Tabor. Ils furent attaqués en chemin par quelques seigneurs royalistes, et sortirent vainqueurs de leurs mains après un rude combat. Une partie alla trouver Nicolas de Hussinetz à Sudomirtz, l'autre Ziska à Tabor. Ces chefs les conduisirent à la guerre, et leur firent détruire plusieurs places fortes, ravager quelques villes hostiles. Sigismond écrivit aux Praguois pour les remercier de leur soumission et pour intimer aux catholiques l'ordre d'exterminer absolument tous les Wicklefistes, Hussites et Taborites. Les papistes ne se firent pas prier, exercèrent d'abominables cruautés, et la Bohême fut un champ de carnage.

Cependant nul n'osa attaquer Ziska avant l'arrivée de l'empereur. Sigismond n'osait pas encore se montrer en Bohême. Il alla en Silésie punir une ancienne sédition, faire trancher la tête à douze des révoltés, et tirer à quatre chevaux dans les rues de Breslaw Jean de Crasa, prédicateur hussite, que l'on compte parmi les martyrs de Bohême; car l'hérésie a ses listes de saints et de victimes comme l'Église primitive, et à d'aussi bons titres.

L'empereur fit afficher la Croisade de Martin Y contre les Hussites. Ces folles rigueurs produisirent en Bohême l'effet qu'on devait en attendre. Le moine prémontré Jean, que nous avons déjà vu dans les premiers mouvements de Prague, revint, à la faveur du trouble, y prêcher le carême. Il déclama vigoureusement contre l'empereur et le baptisa d'un nom qui lui resta en Bohème, le cheval roux de l'Apocalypse. «Mes chers Praguois, disaitil, souvenezvous de ceux de Breslaw et de Jean de Crasa.» Le peuple assembla la bourgeoisie et l'université, et jura entre leurs mains de ne jamais recevoir Sigismond, et de défendre la nouvelle communion jusqu'à la dernière goutte de son sang. Les hostilités recommencèrent à la ville et à la campagne. On écrivit des lettres circulaires dans tout le royaume. Partout le même serment fut proféré et monta vers le ciel.

Sigismond se décida enfin pour la guerre ouverte. Il leva des troupes en Hongrie, en Silésie, dans la Lusace, dans tout l'Empire.

Albert, archiduc d'Autriche, à la tête de quatre mille chevaux, renforcé par d'autres troupes considérables et par le capitaine de Moravie, fut le premier des Impériaux qui affronta le redoutable aveugle. Ziska les battit entre Prague et Tabor; puis, sans s'attarder à leur poursuite, il alla détruire un riche monastère que nous mentionnons dans le nombre à cause d'un épisode. De l'armée de vassaux qui le défendaient il ne resta que six hommes, lesquels se battirent jusqu'à la fin comme des lions. Ziska, émerveillé de leur bravoure, promit la vie à celui des six qui tuerait les cinq autres. Aussitôt ils se jetèrent comme des dogues les uns sur les autres. Il n'en resta qu'un qui, s'étant déclaré Taborite, se retira à Tabor et y communia sous les deux espèces en témoignage de fidélité.

Cependant les Hussites de Prague assiégeaient la forteresse de SaintWenceslas. Le gouverneur feignit de la leur rendre, pilla et emporta tout ce qu'il put dans le château, et se retira en laissant la place à son collègue Plawen; de sorte qu'au moment où les assiégeants s'y jetaient avec confiance, ils furent battus et repoussés. Cependant Ziska arrivait. Il s'arrêta le lendemain non loin de Prague pour regarder quelques Hussites qui détruisaient un couvent et insultaient les moines. «Frère Jean, lui direntils, comment te plaît le régal que nous faisons à ces comédiens sacrés?» Mais Ziska, qui ne se plaisait à rien d'inutile, leur répondit en leur montrant la forteresse de SaintWenceslas: «Pourquoi avezvous épargné cette boutique de chauve (calvitia officina)?Hélas! direntils, nous en fûmes honteusement chassés hier.Venez donc,» reprit Ziska.

Ziska n'avait avec lui que trente chevaux. Il entre; et à peine aton aperçu sa grosse tête rasée, sa longue moustache polonaise et ses yeux à jamais éteints, qui, diton, le rendaient plus terrible que la mort en personne, que les Praguois se raniment et se sentent exaltés d'une rage et d'une force nouvelles. SaintWenceslas est emporté, et Ziska s'en retourne à Tabor en leur recommandant de l'appeler toujours dans le danger.

A peine atil disparu, qu'un renfort d'Impériaux arrive et reprend la forteresse. Ziska avait réellement une puissance surhumaine. Là où il était avec une poignée de Taborites, là était la victoire, et quand il partait il semblait qu'elle le suivit en croupe. C'est que l'âme et le nerf de cette révolution étaient en lui, ou plutôt à Tabor; car il semblait qu'il eût toujours besoin, après chaque action, d'aller s'y retremper; c'est que chez les Calixtins il n'y avait qu'une foi chancelante, des intentions vagues, un sentiment d'intérêt personnel toujours prêt à céder à la peur ou à la séduction, une politique de justemilieu.

Un chef taborite, convoqué à la guerre sans quartier par les circulaires de Ziska, vint attaquer Wisrhad que les Impériaux, avaient repris. Il fut repoussé et aurait péri avec tous les siens si Ziska ne se fût montré. Les Impériaux, qui avaient fait une vigoureuse sortie, rentrèrent aussitôt. Ziska fut reçu cette fois à bras ouverts dans la ville. Le clergé, le sénat et la bourgeoisie accouraient audevant de lui, et emmenaient les femmes et les enfants taborites dans leurs maisons pour les héberger et les régaler. Ses soldats couraient les rues, décoiffant les dames catholiques et coupant les moustaches à leurs maris. Plusieurs villes se déclarèrent taborites, et envoyèrent leurs hommes à Prague pour offrir leurs services à l'aveugle. Un nouveau renfort était arrivé à Wisrhad, et l'empereur s'avançait à grandes journées. Ziska fit établir des lignes depuis le couvent de SainteCatherine (qu'on venait d'abattre), jusqu'à la Moldaw, cerner la forteresse pour empêcher tout secours de troupes et de vivres, couper tous les arbres de l'archevêché, afin de découvrir les mouvements de l'ennemi, et les Praguois renouvelèrent avec transport le serment de ne jamais recevoir Sigismond.

Note : (retour) Laleni, Zatec et Slan, dont il sera parlé depuis et qui furent mises au rang des villes sacrées de la prédiction.

VII.

Les forteresses de Prague qui tenaient pour l'empereur paraissaient imprenables, et, comptant sur l'approche de l'armée impériale, se riaient des préparatifs de cette populace. La garnison de Wisrhad regardait, tranquillement les femmes et les enfants qui travaillaient jour et nuit à creuser un large fossé entre le fort et la ville. «Que vous êtes fous! leur disaientils du haut de leurs murailles; croyezvous que des fossés vous puissent séparer de l'empereur? vous feriez mieux d'aller cultiver la terre.»

Cependant les Taborites n'étaient plus seulement le corps d'armée campé à Tabor; c'était une secte nombreuse et puissante. Plusieurs villes prenaient le nom de taborites, et la nouvelle doctrine se répandait dans toute la Bohème. Cette prétendue nouvelle doctrine, que les Calixtins accusaient de renchérir par trop sur les hardiesses de Jean Huss, n'était qu'un retour aux prédications des Vaudois, bien antérieures à celles de Jean Huss et de Wicklef luimême. Nous verrons bientôt leurs articles. En attendant Sigismond, une vive fermentation des esprits amena beaucoup de ces phénomènes de l'extase que l'on retrouve dans toutes les insurrections religieuses. L'enthousiasme patriotique vibra sous cette pression du véritable magnétisme, de la foi, et des populations entières se levèrent à l'appel des nouveaux prophètes pour courir à la guerre sainte. La grande prophétie taborite qui fanatisa la Bohême à cette époque fui l'annonce de la prochaine arrivée de JésusChrist sur la terre. Il devait revenir juger les hommes sur les ruines de tous les royaumes, et, par les armes des Taborites, établir un nouveau règne, (ce règne de Dieu, cette république idéale, cette société fraternelle, promis par les évangélistes et les apôtres, et auxquels les premiers adeptes du christianisme ont cru dans un sens matériel.) Toutes les villes de la Bohème seraient alors ensevelies sous la terre, à la réserve de cinq qui devaient se montrer toujours pures et fidèles. Ces cinq villes reçurent des noms mystiques. Pilsen fut appelée le Soleil, Launi la Lune, Slan l'Étoile, Glato ou Klattaw l'Aurore, Zatek Segor. Les prêtres exhortaient le peuple à éviter la colère de Dieu qui allait fondre sur tout l'univers, et à se retirer dans les cinq villes sacrées ou villes de refuge. Beaucoup de riches bohémiens et moraves vendirent tous leurs biens à bas prix, et, à l'exemple des premiers chrétiens, s'en allèrent avec leurs familles en porter l'argent à la grande famille taborite.

Voilà l'impulsion ardente qui devait rendre ces hommes invincibles tant qu'elle brûlerait dans leurs âmes; et voilà ce que l'empereur ne prévoyait pas, ce que les soldats de ses forts ne comprenaient pas: ils riaient, derrière leurs murs inexpugnables, des fortifications des Taborites, faites de leurs chariots, dont ils formaient des barricades pour s'enfermer, et des lignes mobiles pour attaquer à couvert. Chaque famille taborite arrivait à Prague avec le sien portant vieillards, femmes et enfants, tous intrépides et aguerris. Ce chariot devenait le rempart et l'arsenal de la famille. On combattait derrière; on s'y retranchait, blessé; on le poussait avec fureur sur les fuyards: c'était une excellente arme de guerre. Les Impériaux apprirent bientôt à la redouter.

Enfin, au mois de juin de cette même année (), Sigismond entra en Bohème, à la tête de cent quarante mille hommes, commandés par l'électeur de Brandebourg, les deux marquis de Misnie, l'archiduc d'Autriche et les princes de Bavière. Il fut bien reçu à Koenigsgratz, ville catholique et royaliste, apanage des reines de Bohème, où il avait toujours tenu de fortes garnisons. Tous les seigneurs catholiques de la Moravie et de la Silésie venaient derrière lui. Tous ceux de la Bohème allèrent à sa rencontre. Ulric de Rosemberg, qui jusqu'alors avait été uni à Ziska, soit que le meurtre et la ruine de ses parents l'eussent aigri contre les Taborites, soit que l'empereur eût réussi à le gagner, comme le fait est assez prouvé, soit enfin que son esprit fût frappé d'une épouvantable vision qu'il eut à cette époque, et dans laquelle il vit JésusChrist, Jean Huss, saint Wenceslas et saint Adalbert lui apparaître dans une fantasmagorie tragique, alla abjurer le hussitisme entre les mains du légat du pape, et rejoindre l'empereur avec cinq cents cavaliers. Son premier exploit fut d'enlever une ville hussite et d'en raser les murailles; mais, ayant été défier Ziska au pied du mont Tabor, il y fut reçu et taillé en pièces par Nicolas de Hussinetz. Ainsi, il rejoignit, l'empereur non en vainqueur mais en fugitif; et ce premier fait d'armes malheureux fut d'un mauvais augure pour l'armée impériale.

Cette formidable armée manquait précisément de l'union et de l'idée qui faisaient la force des Hussites. Les princes qui la commandaient s'étaient fait de mortelles injures, et fraîchement réconciliés pour cette expédition, ne s'en haïssaient pas moins. L'empereur les méprisait tous assez volontiers, eux et leurs sujets. Il avait un profond dédain pour les Moraves, les Silésiens, les Hongrois, enfin pour tous ceux de la race slave. Quant aux hordes de mercenaires qui faisaient le gros de l'armée, on n'avait pas de quoi les payer; et le pillage, sur lequel ces sortes de troupes comptaient, venant à leur manquer, grâce aux précautions de Ziska, qui avait ravagé le pays d'avance, l'armée impériale était déjà mécontente avant d'avoir tiré l'épée.

Cependant elle arriva sans encombre sous les murs de Prague. Les villes lui ouvraient leurs portes, et elle n'y trouvait que des catholiques, empressés de la recevoir. Tous les Hussites étaient à Prague, et Sigismond n'en put saisir que vingtquatre à Litomeritz, qu'il fit jeter dans l'Elbe. La ville sacrée de Slan ellemême lui ouvrit ses portes; mais il n'osa y entrer, craignant une embûche. Enfin, étant arrivé devant Prague, le juin, il essaya d'abord une guerre d'escarmouches, dans laquelle il perdit beaucoup de monde, et le juillet il se décida à livrer un assaut général. Les Taborites se battirent en désespérés pour leurs autels et leurs foyers. Les troupes impériales réussirent à s'emparer du PetitCôté. Un corps de Hongrois se porta dans le grand enclos de l'archevêché; mais les Taboristes, venant renforcer les habitants de Prague sur tous les points compromis, décidèrent la victoire, et repoussèrent les Impériaux jusqu'à la Moldaw. Ziska, qui se gardait assez ordinairement pour les coups décisifs, se tenait retranché et bien fortifié, avec l'élite de ses Taborites, sur une haute montagne, à l'orient de la nouvelle ville, près du gibet de Prague. Les Allemands, voyant en lui le destin de la bataille, allèrent l'y attaquer avec la résolution de le forcer. L'infanterie saxonne coupa les fascines, combla les fossés, et fraya le chemin à la cavalerie. Ziska se défendait terriblement. Le robuste et intrépide vigneron Robyck combattit à ses côtés et repoussa plusieurs fois l'ennemi. Deux femmes et une jeunes fille taborites firent des prodiges de valeur, et tombèrent percées de coups, sous les pieds des chevaux, ayant refusé, à plusieurs reprises, de se rendre. Cependant le nombre des assiégeants grossissait toujours; et Ziska était aux abois, lorsque les Taborites de la nouvelle ville, conduits par Jean le Prémontré, qui portait le calice en guise d'étendard, s'élancèrent à la défense de leur chef, et repoussèrent les Impériaux avec perte, quoiqu'à chaque instant l'empereur leur expédiât de nouveaux détachements. Il fallut abandonner l'attaque ce jourlà. Quelques jours après, la main d'une femme acheva la défaite des Impériaux. Une Praguoise taborite s'introduisit, la nuit, dans leur camp, par un grand vent, et mit le feu aux machines de siège. Beaucoup de richesses et d'effets de grand prix furent consumés; mais ce qui causa la plus grande perte, en cette circonstance, fut l'incendie de toutes les échelles. L'armée impériale fut consternée de ce dernier échec, et l'empereur, effrayé, leva le siège le juillet. Il avait duré un mois, durant lequel ceux de Prague, pour montrer qu'ils n'avaient pas peur, ne fermaient les portes ni jour ni nuit. Le jour même de son départ, il fit la misérable bravade de se faire couronner roi de Bohême, dans la forteresse de SaintWenceslas, par l'archevêque Conjad. Il créa plusieurs chevaliers, et, en s'en allant, il enleva les trésors que son père et son frère avaient cachés à Carlstein, et les lames d'or et d'argent dont les tombeaux des saints étaient couverts, dans la basilique de SaintWenceslas. Il engagea plusieurs villes de Bohême au duc de Saxe pour payer ses troupes, les joyaux de la couronne à des banquiers, et les reliques impériales aux Nurembergeois.

Note : (retour) Ce lieu porte encore le nom de Montagne de Ziska.
La retraite de Sigismond fut désastreuse. Harcelé par les Hussites, de défaite en défaite, il regagna la Hongrie, licencia ses troupes, et ordonna aux garnisons allemandes qu'il laissait dans les forteresses de Bohême de ravager les terres des seigneurs de Podiebrad dont il avait eu à souffrir particulièrement durant cette malencontreuse croisade. C'est cette intrépide et persévérante famille des Podiebrad qui a donné quelques années plus tard un roi hussite à la Bohême.

Ziska quitta Prague peu après Sigismond, et alla de nouveau travailler à affamer l'armée impériale lorsqu'il lui plairait du revenir; c'estàdire qu'il reprit son système de ravage et d'extermination, ne perdant pas un seul jour pour cette oeuvre de patriotisme infernal, ne laissant pas refroidir un instant la sanglante ferveur de ses Taborites.

Pendant son absence, les Praguois continuèrent à attaquer les forteresses de Wisrhad et de SaintWenceslas qui, toujours garnies d'Impériaux et munies de machines de guerre, n'osaient remuer et se bornaient à la défensive. Une nuit, les Taborites de la nouvelle ville ayant échoué devant Wisrhad et se retirant en désordre, trouvèrent les portes de la nouvelle ville fermées derrière eux, par ordre du sénat. Si la garnison impériale eût osé se hasarder quelques pas plus loin, cette courageuse phalange de Taborites eût été anéantie. Elle ne dut son salut qu'à la timidité des Impériaux, qui rentrèrent dans leur fort sans se douter que l'ennemi était à leur merci. Le lendemain, ces Taborites, indignés de la perfidie du sénat, remplirent la ville de leurs imprécations, et tous les Taborites de Prague se préparèrent à abandonner cette lâche cité pour laquelle ils avaient versé leur sang et qui les immolait aux terreurs de son justemilieu. Le Prémontré fit comprendre au peuple que son salut était dans les Taborites. La bourgeoisie, effrayée, convoqua les prêtres, les magistrats et les principaux citoyens. Le moine se chargea de porter la parole pour cette réconciliation. Amende honorable fut faite aux Taborites. Le sénat protesta que les portes avaient été fermées par inadvertance. On conjura les défenseurs de la liberté de rester dans Prague. Malgré les larmes et les prières de la peur, un grand nombre de Taborites plièrent bagage, secouèrent la poussière de leurs pieds, remontèrent sur leurs chariots, et s'en allèrent, la monstrance en tête, rejoindre Ziska et le renforcer dans ses excursions.

Il leur donna autant d'ouvrage qu'ils en pouvaient désirer. Arrivé devant Prachatitz, où il avait fait ses premières études, il offrit sa protection à cette ville, à condition qu'elle chasserait les catholiques. Mais ces derniers, qui étaient en nombre, lui firent répondre qu'ils ne craignaient guère un mince gentilhomme tel que lui. Le redoutable aveugle leur fit chèrement expier cette impertinence. Il s'empara de la ville en un tour de main, fit sortir les femmes et les enfants, égorgea tous les catholiques, et mit le feu à l'église où s'était réfugié le justemilieu; huit cents personnes périrent sous les décombres.

Le de septembre, les Taborites, les Orébites et ceux des villes sacrées, ayant à leur tête des chefs d'une valeur éprouvée, recommencèrent le siège du fort de Visrhad. La garnison, épuisée et découragée, écrivit à l'empereur qu'elle ne pouvait tenir plus d'un mois, et n'en reçut que des promesses. Nicolas de Hussinetz intercepta les vivres, et les lettres que l'empereur envoya enfin pour annoncer son arrivée. Réduits à la dernière extrémité, ceux du Wisrhad ayant tenu encore cinq semaines, et mangé sixvingts chevaux, des chiens, des chats et des rats envoyèrent leurs officiers aux Praguois pour capituler. Il fut convenu qu'on se tiendrait tranquille de part et d'autre pendant quinze jours, et que le seizième, si l'empereur n'envoyait point de vivres, la garnison se rendrait aux Hussites sans coup férir.

Pendant ce temps, Sigismond ayant assemblé une nouvelle armée, s'arrêtait à Cuttemberg. Sa Majesté impériale, plongée dans une profonde mélancolie, tâchait de divertir son chagrin avec des instruments de musique. Un autre délassement était d'envoyer ses hussards incendier et massacrer, sans épargner ni femmes ni enfants, sur les terres des seigneurs bohêmes qui avaient embrassé le hussitisme. Il parlementa avec les députés praguois, essaya de les tromper, et finit par les menacer avec sa brutalité ordinaire, qui l'emportait encore sur ses instincts de ruse et de fraude. Enfin, le octobre, il parut devant de Prague avec une armée qu'il avait fait venir de Moravie. Il se montra sur une colline voisine de Wisrhad, l'épée à la main, donnant ainsi à la garnison le signal du combat. Mais il était trop tard d'un jour; le terme de la convention était expiré de la veille. Ceux de Wisrhad, en gens de parole, et touchés de la foi que les Taborites leur avaient gardée en les laissant tranquilles durant la trêve, ne répondirent pas au signal de l'empereur. Un morne silence planait sur la forteresse. Ces malheureux soldats, épuisés par la faim et les maladies, restaient comme des spectres autour de leurs créneaux, immobiles témoins du combat qui s'engageait sous leurs yeux. L'empereur, stupéfait d'abord, entra bientôt dans une grande fureur; et comme ses officiers, admirant avec tristesse les ingénieuses fortifications des Taborites, l'engageaient à ne pas exposer sa personne et son armée dans une entreprise impossible: «Non, non, s'écriatil, je veux châtier ces portefléaux.Ces fléaux sont fort redoutables, reprit un des généraux,Ah! vous autres Moraves, s'écria Sigismond hors de lui, je vous savais bien poltrons, mais pas à ce point!» Aussitôt les cavaliers descendant de cheval: «Vous allez voir, direntils, que nous irons où vous n'irez pas.» Ils se jetèrent audevant de ces fléaux de fer que l'empereur avait si fort méprisés, et il n'en revint pas un seul. Les Hongrois, voulant les venger, eurent à dos ceux des villes sacrées et prirent la fuite. L'empereur piqua des deux et s'échappa à grand'peine. Les Praguois les poursuivirent et ne firent quartier à aucun de ceux qu'ils purent joindre. La plus grande partie de la noblesse de Moravie y demeura. Plus de trois cents grands seigneurs bohêmes du parti de l'empereur restèrent là quatre jours sans sépulture, abandonnés aux chiens. L'infection fut horrible. Un chef hussite, touché de compassion du sort de tant de braves gens, les fit enterrer à ses frais dans le cimetière de SaintPancrace.

Le jour de cette seconde victoire fut clos par une scène touchante. La garnison de Wisrhad, fidèle à son serment, se rendit à ceux de Prague avec toutes les machines de guerre de la citadelle. Les assiégeants reçurent les assiégés à bras ouverts. Ils se hâtèrent d'assouvir la faim qui les dévorait depuis si longtemps, et leur donnèrent des vêtements, des vivres à emporter, et tout ce qui leur était nécessaire pour se retirer en bon état et en bon ordre. Le lendemain, au point du jour, on vit la population en masse inonder la citadelle, non pour la fortifier, mais pour la détruire. Il fallait anéantir cette place meurtrière, arme si sûre et si redoutable aux mains de l'ennemi; ce fut l'affaire de deux jours. Elle avait duré sept cents ans, et devint un jardin potager. Le novembre, les

Praguois allèrent en procession sur le champ de bataille, et rendirent grâces à Dieu dans leurs hymnes bohémiens.

L'empereur se vengea de sa défaite en ravageant les terres des Podiebrad. Un seul de ces seigneurs avait refusé jusquelà d'adhérer au hussitisme. Il courut à Prague embrasser la doctrine. Tel devait être l'effet des violences de Sigismond. L'empereur se retira, après avoir fait tout le mal possible au pays, où il exerça des cruautés pires que toutes celles de Ziska. Celuici épargnait du moins, autant que possible, les femmes et les enfants, et recevait à merci tous ceux qui se rendaient sincèrement. Sigismond n'épargnait rien, et, dans sa rage aveugle, immolait ensemble amis et ennemis. Les Orébites firent peser sur les couvents d'horribles représailles. Ceux des moines qu'ils ne brûlaient pas, ils les laissaient enchaînés sur la glace, pour les faire périr de froid.

Après leur victoire, les Praguois, n'ayant plus rien que de funeste à attendre de la part de Sigismond, assemblèrent les principaux seigneurs, afin d'élire un autre roi, et ceuxci se déclarèrent pour Jagellon, roi de Pologne, chrétien de fraîche date, qui semblait ne devoir pas les inquiéter dans leur religion. Mais les Orébites et les Tabordes repoussèrent vivement cette proposition. A peine avonsnous chassé un roi étranger, disait Nicolas de Hussinetz (l'intrépide associé de Ziska) que vous en demandez un second. Indigné de leur dessein, il fit sortir de Prague tous ses Taborites, et s'en alla avec eux assiéger et battre les villes impériales de l'intérieur.

Cependant il rentra peu après dans la capitale avec des intentions énergiques. Les Orebites n'étaient pas moins mécontents que lui du juste milieu hussite. A peine le danger étaitil passé, que les Calixtins, mécontents de la vie austère qu'entraînait pour eux le système dévastateur de Jean Ziska, oubliaient qu'ils devaient leur salut à sa science militaire, à sa bravoure, et à l'élan irrésistible de ses fougueux disciples. Ils affectaient alors une grande horreur pour les cruautés commises envers les moines, et cette compassion, qui eût honoré des âmes sincères, n'était qu'une hypocrite défection, chez un parti qui se portait aux mêmes excès quand il croyait à l'impunité. Les sectes ardentes s'étant rencontrées sous les murs d'une ville catholique avec des assiégeants calixtins, ceuxci affectèrent de communier en grand appareil, et leurs prêtres portèrent l'Eucharistie, revêtus de riches ornements. C'était scandaliser ces austères réformateurs, qui voulaient effacer toute trace des pompes de l'ancien culte et abolir toute suprématie temporelle du clergé. Ils se jetèrent sur les prêtres calixtins: A quoi servent, leur direntils, ces habits de comédiens? Quittezles, et communiez avec nous sans ces oripeaux, ou nous vous les arracherons. Quelques chefs des deux partis apaisèrent cette querelle; mais Nicolas de Hussinetz marcha sur Prague, et enjoignit, avec menaces, à la communauté calixtine de préposer autant de Taborites que de Praguois à la garde des tours et aux délibérations des conseils. Ceux de Prague répondirent naïvement que, l'ennemi étant loin, ils n'avaient que faire d'être si bien gardés et si bien conseillés. On se querella particulièrement sur les opinions religieuses, et c'est alors qu'on s'aperçut d'une dissidence d'opinion alarmante pour les modérés. L'aigreur en arriva au point qu'il fallut entrer en délibération sérieuse pour un accommodement. On convoqua les représentants de tous les partis dans l'église de SaintAmbroise. Ceux des deux villes de Prague eurent pour chacun leur place à part, et les Taborites également; seulement on défendit qu'il y eût là ni femmes ni prêtres. Les Taborites avaient de grandes idées d'émancipation pour leurs femmes, les admettant à une égalité de condition et de discussion, qu'elles justifiaient bien par leur conduite héroïque jusque sur les champs de bataille. En outre, ils avaient pour leurs prêtres une vénération extrême: les ayant dépouillés de tout caractère temporel, et de tout privilège social, ils les regardaient comme des saints et comme des anges, et il fallait que ces prêtres fussent tels en effet pour dominer par le seul ascendant moral. Ils furent donc trèsirrités de cette exclusion de leurs prêtres et de leurs femmes d'une conférence décisive, et voulurent se retirer; mais comme Nicolas de Hussinetz sortait de la ville un des premiers, son cheval tomba dans une fosse et lui cassa la jambe. Ou le rapporta dans Prague, et on le déposa dans la maison abandonnée ou conquise des seigneurs de Rosemberg. Il y mourut de la gangrène, ce qui jeta les Taborites dans une grande consternation. Ils perdaient en lui un grand appui, et un chef redoutable aux partis contraires. Ziska, qui avait voulu jusquelà n'être censé que le premier après lui, fut proclamé général en chef des Taborites.

Enfin l'assemblée fut fixée et acceptée de part et d'autre. L'université, qui était toute calixtine, y assista, et procéda à la lecture des articles proclamés par les Taborites, pêlemêle avec celle qu'on leur imputait. Au reste, la plupart de ces articles méritent d'être rapportés, ne fûtce que pour les lectrices qui aiment, avant tout, la couleur historique. Rien ne montre mieux l'exaltation à la fois sauvage et sublime des Taborites, et ne résume mieux les doctrines de L'ÉVANGILE ÉTERNEL que cette déclaration des droits divins de l'homme au quinzième siècle. Leur style mystique est plus éloquent pour peindre la situation à la fois violente et romanesque de la Bohême à cette époque que le récit des événements même, et nous prions nos lectrices de ne point sauter ce chapitre.

FIN

Milton Keynes UK
Ingram Content Group UK Ltd.
UKHW031838310823
427750UK00009B/244